As is (tel quel)
est le cent soixante-treizième ouvrage
publié chez
Dramaturges Éditeurs

Dramaturges Éditeurs
4401, rue Parthenais
Montréal (Québec) H2H 2G6
Téléphone : 514 527-7226
Télécopieur : 514 527-0174
Courriel : info@dramaturges.qc.ca
Site internet : www.dramaturges.qc.ca

Dramaturges Éditeurs choisit de respecter l'auteur
dans sa façon de transcrire l'oralité.

Mise en pages et maquette de la couverture : Yvan Bienvenue
Correction des épreuves : Daniel Gauthier et Monique Forest
Illustration de la couverture : Suzanne Harel

Nous remercions le Conseil des Arts du Canada
de l'aide accordée à notre programme de publication.
Nous remercions aussi la Sodec.

Dépôt légal : premier trimestre 2014
Bibliothèque et Archives nationales du Québec
Bibliothèque nationale du Canada

ISBN 978-2-89637-072-6

Simon Boudreault

AS IS (TEL QUEL)

Dramaturges Éditeurs

La première représentation publique de *As is (tel quel)* a eu lieu le 11 mars 2014, au Théâtre d'Aujourd'hui, à Montréal.

Distribution (par ordre d'apparition):
SATURNIN: Jean-François Pronovost
TONY: Denis Bernard
PÉNIS: Patrice Bélanger
JOHANNE: Catherine Ruel
VOIX OFF DE ROSELYNE: Caroline Lavigne
SUZANNE: Marie Michaud
DIANE: Geneviève Alarie
LE GROS RICHARD: Félix Beaulieu-Duchesneau

Interprétation musicale: Michel F Côté, Claude Fradette et Philippe Lauzier

Mise en scène: Simon Boudreault
Assistance à la mise en scène et régie: Judith Saint-Pierre
Direction musicale et conception sonore: Michel F Côté
Composition et arrangements des musiques: Michel F Côté, en collaboration avec Claude Fradette et Philippe Lauzier
Conseiller dramaturgique: Jean Marc Dalpé
Scénographie: Richard Lacroix
Costumes: Suzanne Harel
Éclairages: Frédéric Martin
Accessoires: Loïc Lacroix Hoy
Maquillages: Florence Cornet
Direction de production: Annie Lalande

Une création de Simoniaques Théâtre et du Théâtre d'Aujourd'hui.

Je dédie cette pièce au Simon de 18 ans.
Maintenant je me rends compte
que c'est une autre personne que moi.
J'aurais aimé qu'il lise cette histoire.
Elle est pour lui.

Je la dédie aussi à Délia, mon trésor,
et à ma petite Nora, mon cadeau,
qui verra le jour en même temps que ce livre.

PERSONNAGES

SATURNIN : étudiant à l'université en philosophie politique.

TONY : le boss du triage à l'Armée du Rachat.

PÉNIS : responsable de la répartition des paniers.

SUZANNE : trieuse de vêtements depuis trente-sept ans. Doyenne. Mère de Pénis.

JOHANNE : trieuse de vêtements, d'une gentillesse de matante. Enceinte.

DIANE : trieuse de vêtements, ancienne junkie.

LE GROS RICHARD : en désintox à l'Armée du Rachat, il doit donner du temps comme trieur.

VOIX OFF DE ROSELYNE BADEL : conseillère en milieu de travail, trouvée sur internet.

LE RAT : fait en chœur par les personnages suivants : Tony, Pénis, Suzanne, Johanne et Diane.

LIEU

Le sous-sol de triage de l'Armée du Rachat avec ses multiples sacs de vêtements qui ne sont pas encore triés, un tas d'objets hétéroclites qui ne sont pas encore classés, des paniers à roulettes pour déplacer les chargements et le compacteur pour ce qui ne sera pas récupéré.

Avant-propos

On a tous eu une première job.
Un endroit où on ne «fitait» pas nécessairement.
Et à chaque fois le défi était de faire sa place.
Une place à délimiter avec des bons coups et des coups de coudes.
C'est comme arriver dans une nouvelle cour d'école.
Un intrus.
En peu de temps, il faut apprendre les règles, les codes, les jeux
de pouvoir : ce qui se fait et ce qui ne se fait pas.
Il y a peu de différence finalement entre être un nouveau qui arrive
dans un bureau, un enfant dans une classe, un Casque bleu en
Afghanistan, un loup solitaire dans une meute.
À chaque fois, on se sent comme une goutte d'huile dans un verre
d'eau.

Ma première job, ça été trieur de cossins dans le sous-sol de
l'Armée du Salut.
Des objets. Partout. Des objets éparpillés. Partout. Des objets
ramassés. Partout.
Des tas d'objets en tas.
J'y ai travaillé un été. Depuis c'est un lieu qui me hante.
Les gens, leurs regards, la distance qu'ils prenaient quand j'étais
là.
Ils m'appelaient l'Intellectuel.
Le fait que je sois un intellectuel me donnait une aura d'extra-
terrestre.
Ils voulaient comprendre ce que je faisais là. Moi aussi d'ailleurs.
Peut-être pour que j'écrive cette pièce.
Elle est pour eux.

L'Armée du Rachat. Pour nous sauver. De quoi?
Je me suis toujours demandé qu'est-ce que ça voulait dire «aider»?
Est-ce qu'on le fait pour ceux qu'on aide ou pour être dans la
gang de ceux qui aident?

Quand nous aidons, nous nous mettons à la place de l'autre.
Mais toujours selon notre point de vue.
Est-ce que l'aide en est une vraie?
Une de celles qui changent les choses pour le mieux.
C'est ce qu'on voudrait.

Simon Boudreault

Scène 1 : Saturnin cherche une job

SATURNIN, *au public*

Qu'est-ce que ça veut dire réellement « être une bonne personne » ? Aider les autres ? Je pense que je suis une bonne personne. C'est important pour moi de... d'aider les autres. Ce que je veux dire, c'est que j'ai envie d'être utile. De faire une différence. On pense tous qu'on est des bonnes personnes, non ? Je suis sûr que je suis une bonne personne. Tout le monde le dit. Mon seul problème c'est que je dois absolument sous peine de mourir de faim, me trouver une job pour l'été. J'ai vingt ans. J'ai jamais travaillé nulle part, ce qui est une honte lorsqu'on se cherche une job. Surtout à cet âge-là. Je suis comme un sac de chips, si y était ouvert tout le monde en mangerait, mais y a personne qui est *game* de l'ouvrir en premier. J'ai un bac en musique classique, mais là je me suis réorienté, donc j'étudie depuis un an en philosophie politique. De toute façon, pour mes futurs employeurs, ça correspond à étudier en rien. Pire, je suis de cette race honnie par toutes les jobs d'été : je suis un intellectuel. J'ai pu constater lors de plusieurs entrevues que l'intellectuel est généralement considéré comme un être nuisible se croyant au-dessus des choses, vu qu'il a lu des livres qui lui serviront jamais. De plus l'intellectuel est une menace, un hypocrite et un prétentieux. Je crois que les employeurs seraient ravis de brûler les intellectuels attachés après une bibliothèque en dansant un set carré, si la loi le permettait. Je dois dire qu'avant de passer des entrevues, je savais pas encore que j'étais un intellectuel. Mais quelques signes distinctifs très reconnaissables m'ont appris la dure réalité : j'ai des lunettes, j'ai lu *Madame Bovary* au complet et lorsque je parle, j'emploie des mots comme « opportunité » et « connexe ». Pour ajouter à mes chances de trouver une job : j'ai aucune expérience en rien. J'erre depuis des semaines dans l'accueillant centre d'emploi jeunesse de mon quartier, et je découvre que même pour être payé le salaire minimum, y faut de l'expérience, du dynamisme, de l'entregent, être apte à s'intégrer dans une équipe énergique et vouloir s'investir dans une compagnie d'avenir. J'en arrive à penser qu'un rouleau de *gaffer tape* a plus de chance de se trouver une job que moi.

Ange ou démon, une fiche aux lignes bleutées m'interpelle en scintillant telle une perle dans la gueule d'une moule. Écrite en lettres de feu à l'encre rouge, perdue dans un flot de recherches de « waiter avec expérience », de « livreur avec voiture », de « stand à hot-dogs avec pogos », elle est là !

«L'Armée du Rachat recherche trieur d'objets. Seule aptitude demandée : être capable de travailler seul.»

LA CHANSON DE L'ARMÉE DU RACHAT

LE CHŒUR
L'Armée du Rachat ! Organisme de charité.
Défenseure du pauvre et de l'opprimé.
Notre mission ecclésiastique
Est de fournir à prix modiques :

Des frigidaires maganés,
Des livres déchirés,
Des oursons éborgnés,
De la vaisselle effritée,
Du linge fripé, du linge porté,
Du linge jauni, du linge sali,
Du linge pourri, du linge trop p'tit,
Du linge moisi, du linge fini…

L'Armée du Rachat ! Organisme de charité.
Défenseure du pauvre et de l'opprimé.
Notre mission ecclésiastique :
Fournir à prix modiques !

Scène 2 : L'entrevue

Sur un tableau ou en projection ou selon une autre idée géniale, on voit : « Semaine 1. Jeudi, 2 mai ».

Dans un bureau minable, dans le sous-sol de l'Armée du Rachat. Tony est installé dans une chaise en faux cuir. Il fait très sombre.

TONY
Assis-toi.

Saturnin cherche, il n'y a pas de chaise libre autour de lui. Tony feuillette son C.V.

TONY
C'ton C.V. ça ?

SATURNIN
Euh… oui.

TONY
Saturnin Lebel, c'est toi ?

SATURNIN
Oui.

TONY
Saturnin, on dirait l'nom d'un cartoon.

SATURNIN
Ah… ben merci.

TONY
Non, c'était pas un… *anyway*. T'es-t-étudiant ?

SATURNIN
Oui, en fait j'ai un bac en musique classique, mais je…

TONY, *le coupant, intéressé*
Tu joues de la musique ? Qu'est-ce tu joues ?

SATURNIN
De la flûte traversière.

TONY, *désintéressé*
Eh *boy*, OK… Tu joues où?

SATURNIN
Nulle part. J'étais pas à l'aise dans un orchestre. La hiérarchie immuable, le chef d'orchestre qui veut imposer sa vision, les cordes devant les bois, première flûte, deuxième flûte, troisième flûte, le soliste devant tout le monde. Je trouvais ça lourd.

TONY
Ouais ouais ouais. Je vois ça.

SATURNIN
Mais maintenant, je me suis réorienté en philosophie politique. Ça me ressemble plus. La politique, vous savez, c'est la lutte des valeurs pis la philosophie, c'est ce qui nous permet d'articuler nos valeurs. Donc, en philosophie politique, on questionne les…

TONY, *le coupant*
Pis pourquoi tu veux travailler icitte?

SATURNIN
Euh… parce que travailler ici, à l'Armée du Rachat, pour moi, ça représente l'opportunité de développer des aptitudes connexes à l'intérieur d'un organisme…

TONY, *le coupant*
Pas sûr de te suivre, là.

SATURNIN
Je veux dire en plus d'avoir une job, ça me permet d'aider. Aider les autres, mon prochain, me sentir utile. D'une certaine façon, ça me permet de participer à ce grand projet de société où chacun d'entre nous serait…

TONY, *le coupant*
T'es prêt à commencer quand?

SATURNIN
Quand vous voulez.

TONY
Qu'est-ce tu fais aujourd'hui?

SATURNIN
Euh... rien.

TONY
Bienvenue à l'Armée du Rachat, Saturnin.

SATURNIN
Vous... Vous rencontrez personne d'autre ?

TONY
Es-tu capable de travailler tu seul ?

SATURNIN
Oui.

TONY
Vraiment tu seul, là ?

SATURNIN
Oui oui.

TONY
T'es sûr ?

SATURNIN
Je vous le dis, y a pas de problème.

TONY
Good.

SATURNIN
Mais euh... la job ça consiste à... ?

TONY
T'es trieur de cossins.

Tony retourne à son travail. Temps.

SATURNIN
Mais euh... Qu'est-ce que je dois faire ?

TONY, *regarde sa montre*
Bon OK. Enweye. Dans l'immeuble y a six étages, un rez-de-chaussée pis un sous-sol. Sixième étage : la gestion, la paperasse, les payes, le cash.

SATURNIN

OK.

TONY

T'as pas le droit d'y aller. Pour toi, c'est moi ton boss, *that's it*. C'est clair?

SATURNIN

Oui, oui.

TONY

Cinquième étage: les missionnaires, les boss, la foi, les chants, les religieux, y portent le *suit* brun. L'ascenseur, c'est pour eux autres pis l'sixième.

SATURNIN

OK.

TONY

Toi tu prends l'escalier. *Anyway* y a pas de raison que t'ailles voir les bruns. Quatrième: les freaks, les alcoolos, les toxicos, c'est les locals des cures de désintox, leur dortoir est au troisième, c'est là qu'y couchent, y a un gardien à ' porte d'entrée.

SATURNIN

Ah oui? Pourquoi?

TONY

T'as pas le droit d'y aller.

SATURNIN

Ah, là non plus.

TONY

«Deuxième étage: c't'à partir de là qu'on vend du stock. Le deuxième c'est les meubles: les divans, les tables, les lits, les armoires. Tout ce qui est gros pis lourd c'est là qu'ça va.»

SATURNIN

C'est drôle d'avoir mis ça au deuxième.

TONY

Han?

SATURNIN

Je veux dire, les meubles. C'est pas très pratique de les avoir mis au deuxième. Vous êtes obligés de les monter pis les descendre à chaque fois.

TONY

Toi tu t'occupes pas des meubles.

SATURNIN

Ah non, je l'sais, j'disais ça pour...

TONY, *le coupant*

Le premier : c'est le linge pis du linge y en a en masse. Trois quarts du sous-sol est pris par des sacs de vidanges pleins de linge pas encore trié. Tous les racks du premier sont boostés au max, on monte en haut l'équivalent de deux trucks de vidanges de linge par jour.

SATURNIN

OK.

TONY

Toi, tu t'occupes pas du linge.

SATURNIN

Oui, parfait.

TONY

Les trieuses de linge sont installées à mi-chemin entre ton tas pis les docks. Sont quelque part au milieu des sacs pas encore triés. Y a pas trop de lumière, mais tu vas toujours voir une lueur en avant d'toi, t'as rien qu'à suivre ça, c'est les trieuses de linge.

SATURNIN

Je travaille avec elles.

TONY

Pantoute. Le rez-de-chaussée, ça c'est ton étage.

SATURNIN

C'est là que je travaille ?

TONY

Nanonon, c'est là qu't'envoies ton stock.

SATURNIN

D'accord, OK.

TONY

En arrière, c'est l'électrique : toasters, aspirateurs, décapeurs, extracteurs, vibromasseurs. C'pas compliqué tout ce qui a un fil électrique, tu l'envoies là. Au milieu-arrière, c'est la vaisselle, la coutellerie, les chaudrons. Si c'est cassé, brûlé, brisé, percé tu le jettes, mais si c'est juste scratché, fêlé, bosselé, pucké, on peut toujours le récupérer. Au milieu-centre-arrière, c'est les jouets, les toutous, les puzzles, la peluche, toute ce qui a une face *cute* de gros bonhomme, ça va là. Au mileu-centre-avant, c'est les bibelots, les cossins, les cadres, les gogosses, les bouts de tissus, les patentes que tu sais pas à quoi ça sert, on les met là pis ça finit ben par se vendre. En avant-milieu-arrière, c'est les beujoux : colliers, montres, bagues, boucles d'oreilles, si y en manque une, on peut vendre celle qui reste comme épinglette. C'est la vielle Anglaise, madame Mac quèque chose qui s'occupe de d'ça. Est ben *picky*, faque si ça brille pis que c'est petit, amènes-y *as is*. A va le prendre de même, a va les trier comme a veut pis a te gossera pas.

SATURNIN
OK, pis en avant ?

TONY
Quoi en avant ?

SATURNIN
En avant-milieu c'est les bijoux, mais en avant-avant c'est… ?

TONY
C'est l'entrée.

SATURNIN
OK, on vend rien là.

TONY
On rentre.

SATURNIN
C'est l'entrée.

TONY
Finalement, le sous-sol. C'est là qu'on trie toute le stock. Le stock, lui, y arrive par les docks en arrière. Toi t'es en avant, c'est là qu'on range les boîtes de cossins.

SATURNIN
Par catégories ?

TONY
Par tas.

SATURNIN
Plusieurs tas?

TONY
Un tas.

SATURNIN
Un tas?

TONY
Un tas, un tas. C'pas compliqué, un tas.

SATURNIN
C'est pas rangé?

TONY
C'est rangé en tas. T'as l'équivalent de deux autobus et demi de stock à classer. Là avec le début mai, on a les ménages de printemps qui commencent, faque y a des gogosses qui vont rentrer chaque jour. En plus on a eu du retard en janvier avec les restes de Noël, faque tu chômeras pas.

SATURNIN
Ça me va, OK, oui.

TONY
T'as six catégories principales à r'tenir. L'électrique.

SATURNIN
L'électrique.

TONY
Les beujoux.

SATURNIN
Les beujoux.

TONY
Les toutous.

SATURNIN
Toutous.

TONY
La vaisselle.

SATURNIN
Vaisselle.

TONY
Les bibelots.

SATURNIN
Bibelots.

TONY
Pis le compacteur.

SATURNIN
Le compacteur?

TONY
Ce qui est pus bon, tu crisses ça dans le compacteur en arrière. Quand l'compacteur est plein, tu l'pars pis lui y écrase le stock. Y a juste toi pis Tony qui a le droit de faire marcher l'compacteur.

SATURNIN
Tony c'est…?

TONY
C'est moi.

LA CHANSON DE TONY

TONY
On m'a toujours appelé Tony, mais mon vrai nom c'est Antoine Champoux. Je porte des bagues parce que ça cache mes gros doigts. Je fais tout le temps des mots croisés, mais je les finis jamais. Pis je capote ben raide sur les mille-feuilles, même si quand on croque dedans, ça éffouère toute la costade qui déborde de partout. Oh *yeah*! J'ai travaillé dix ans comme danseur au 281. Je me couchais à pas d'heure, je me cokais par habitude pis je laissais ma queue fourrer comme si ètait pas à moi. Un matin je me suis levé avec l'envie de pas déjeuner au resto. J'ai ouvert mon frigo pour me rendre compte que j'avais jamais faite ça une commande. Quand j'ai mis les pieds pour la première fois dans une épicerie, je savais pas quoi acheter, faque j'ai acheté un pot de toute. Y me reste encore de la sauce aux prunes dans porte de mon frigo. (*Fin de la chanson.*)

On est juste deux à pouvoir partir le compacteur.

SATURNIN
Est-ce qu'il est compliqué à faire fonctionner?

TONY
C't'un piton.

SATURNIN
Un piton?

TONY
Tu pèses *as is* de même pis y part pis c'est toute.

SATURNIN
Super.

TONY
Pour classer, t'as des paniers, un panier par catégorie. Quand t'as un panier de plein, tu l'envoies dans sa section.

SATURNIN
Parfait. Est-ce que j'ai une table pour trier ou ben je...

TONY, *le coupant*
Ou ben je quoi?

SATURNIN
Ben... ou ben je trie de même avec rien?

TONY
C'est ça.

SATURNIN
OK.

TONY
Pour les autres jours, tu t'amèneras des gants.

SATURNIN
Des gants?

TONY
Pour pas te couper ou te faire mordre.

SATURNIN
Par quoi?

TONY

Un couteau, une hache, quèque chose qui coupe, je l'sais-tu moi.

SATURNIN

Non, me faire mordre...?

TONY

Par un rat.

SATURNIN

Y a des rats?

TONY

Mets des gants. Pour l'éclairage, tu peux ploguer des lampes.

SATURNIN

Y a pas de fenêtres?

TONY

Peut-être en arrière du tas, j'm'en souviens pus. Tu te pogneras une ou deux *flashlights*, j't'amènerai des batteries. Tu te mettras des bottes pour aller chercher le stock dans l'tas, pis fais attention aux éboulis.

SATURNIN

Les éboulis?

TONY

Le stock a juste été crissé là pis c'est resté *as is*. On sait pas trop comment toute ça tient. En fait, ça tient pas. Le problème c'est que toi t'auras pas le choix de grimper dans l'tas. Si tu commençais par le stock du bas, ce qui est en haut finirait par te tomber dans face. Quand tu grimpes, regarde où tu marches pour pas tomber dans une crevasse de stock. C'est ben maudit, mais un gros toutou peut cacher un trou. Si jamais tu tombais dans un trou, panique pas, si tu te débats tu vas juste caler un peu plus. En fin de journée, m'as venir faire un tour voir si toute est correct pis te déprendre si t'es pogné.

SATURNIN

OK, merci.

TONY, *se replaçant les culottes*

Y me reste juste à te parler de Pénis.

SATURNIN

Han?!

TONY
Faut que je te parle de Pénis.

SATURNIN
Lequel?

TONY
Ben… le nôtre, là.

SATURNIN
C'est obligé?

TONY
Ben là, si tu veux comprendre comment ça marche icitte, faut ben qu'on se parle de Pénis.

SATURNIN
C'est-tu comme une initiation?

TONY
Qu'est-ce que tu veux dire?

SATURNIN
De parler de pénis de même, vous faites ça avec tout le monde?

TONY
Ceux que ça concerne, là.

SATURNIN
Je vais vous laisser commencer.

TONY
Faque c'qu'y faut pas que t'oublies, c'est qu'une fois que t'as fullé un panier plein de gogosses pour aller en haut, tu l'donnes à Pénis pis c'est à lui d's'en charger. Toi tu vas pas en haut.

SATURNIN
OK! C'est quelqu'un, ça, Pénis!

TONY
C'est lui qui s'occupe des paniers.

SATURNIN
Ça marche, OK… Je pensais… Y s'appelle Pénis?

TONY

Ben non, ben oui, c'pas son vrai nom, là. C'est le surnom qu'on y a donné icitte. (*Riant.*) C'parce qu'y travaille comme un pénis.

SATURNIN

Je connais pas l'expression.

TONY

Voyons 'stie. Travailler comme un pénis, ça veut dire qu'y travaille n'importe comment, là… comme un pénis.

SATURNIN

C'est quoi son vrai nom?

TONY

Han? Euh… Ma… Martin? ou ben Sylvain, j'pense que ça r'ssemble à quèque chose du genre. Peut-être Charles aussi. *Anyway* appelle-lé donc Pénis, comme tout l'monde. (*Appelant.*) PÉNIS!!! Où c'est qu'y est là?

Pénis entre essoufflé.

PÉNIS

Chus là, chus là! S'cuse-moi Tony. Ça fait-tu longtemps que tu m'appelles?

TONY

V'là Saturnin. C'est notre nouveau trieur de cossins.

PÉNIS, *figeant*

Han? Ben là… Tony, tu m'avais dit…

TONY, *le coupant*

De quessé? J'ai pas le droit d'engager un trieur de cossins, moi?

PÉNIS

Oui oui, c'est juste que…

TONY, *le coupant*

Que quoi?

PÉNIS

Rien. Y a rien, Tony.

TONY

Donnes-y un panier qu'y commence à trier son tas. *Good job*, mon Sat, *good job.*

Tony sort. Pénis reste là à observer Saturnin. Léger malaise.

PÉNIS
Ça va être plate de trier les cossins.

SATURNIN
Ah euh… je sais pas, ça doit pas être si pire que ça.

PÉNIS
Moi, je trouverais ça plate. J'aurais jamais voulu faire c'te job-là.

SATURNIN
Ah oui? On t'a offert la job?

PÉNIS
Peut-être ben que oui, pourquoi pas?

SATURNIN
Je sais pas.

PÉNIS
Ben c'est ça, fais pas comme si tu savais.

SATURNIN
Han?

PÉNIS
P't-être ben qu'y m'ont d'mandé de faire ta job pis que j'ai dit non.

SATURNIN
Peut-être, oui.

PÉNIS
C'est ça.

Tension.

SATURNIN
Sinon, ça fait longtemps que tu travailles ici euh… Excuse-moi, on m'a pas dit c'était quoi ton vrai nom.

PÉNIS
Icitte, le monde m'appelle Pénis.

LA CHANSON DE PÉNIS

PÉNIS

Moi. On m'appelle Pénis. Moi. Même si c'est pas mon nom.
On m'appelle Pénis. Moi. Paraît que je travaille comme
un pénis. Moi. Ça veut dire que je travaille dur. Durdur-
durdur de dur! Même si c'est pas mon nom. J'travaille
comme un pénis. J'aime ben ça moi les pogos. Moi. Je
mangerais rien que ça, mais c'pas bon pour ma santé. Les
pogos. Pénis. Même si c'est pas mon nom. On m'appelle
Pénis. J'travaille dur. C'pas bon pour ma santé. Mais j'aime
les pogos! C'est la moutarde que j'aime avec la saucisse. Je
porte des polos parce que je trouve ça...

Entre Tony. Arrêt brutal de la chanson.

TONY

Voyons Pénis, qu'est-cé que tu crisses? Y a une 'tite madame qui attend
qu't'ailles décharger les boîtes de son char pour qu'a' puisse s'en aller.
T'attends-tu qu'a meure, coudonc?

PÉNIS

C'est lui, là, Tony. Y m'a demandé des affaires pis...

TONY, *le coupant*

Ça t'a faite jammer ta p'tite tête de «chus pas capable de penser à deux
choses en même temps»?

PÉNIS

S'cuse-moi Tony.

SATURNIN

C'est de ma faute, c'est moi qui y a posé des questions.

TONY

Hé boy! On en a pour la journée avant qu'y soye capable de t'répondre.
Enweye Pénis, arrête de te compter les narines pis va aider la 'tite
madame, tu monteras l'panier après.

PÉNIS

OK, Tony.

TONY

On te paye pas pour que tu te pognes la graine, Pénis.

PÉNIS, *riant avec Tony*
Ouan. (*En sortant.*) S'cuse-moi encore Tony.

TONY, *regardant Saturnin, cherchant une complicité*
Criss de Pénis, han?

Il rit. Saturnin ne réagit pas. Tony perd tranquillement son rire.

TONY, *sortant*
Bon ben... *good job*, mon Sat, *good job*.

Scène 3 : Premier contact

Saturnin arrive à son tas. Johanne fouille dedans sans le voir.

SATURNIN
Bonjour.

JOHANNE, *tenant contre elle un extracteur de jus*
Qu'est-ce que vous faites ici ? C'est interdit aux clients.

SATURNIN
Je suis nouveau.

JOHANNE
Depuis quand ?

SATURNIN
Depuis pas longtemps. Pas mal là, là. C'est pour ça que je suis nouveau.

JOHANNE
C'est quoi ta job ?

SATURNIN
Je trie les objets.

JOHANNE, *remettant l'extracteur dans le tas*
Je faisais rien que regarder.

SATURNIN
Vous aussi, vous êtes une trieuse d'objets ? Je connais encore personne.

JOHANNE
Tony l'avait dit qu'y allait engager quelqu'un à matin.

SATURNIN
Oui, ça s'est fait vite…

JOHANNE
Y t'a pris *as is* ?

SATURNIN
Euh… ça l'air à ça, oui.

JOHANNE
T'aimes ça travailler tu seul?

SATURNIN
Je devrais m'en sortir. Vous travaillez avec moi?

JOHANNE
Faut que j'y aille. Je faisais rien que regarder, han?

SATURNIN
Attendez je veux juste savoir si…

Scène 4 : Saturnin et son travail

SATURNIN, *au public*
Après mes deux premières journées, je suis allé sur un site web afin d'avoir des trucs concernant une bonne intégration dans un nouveau milieu de travail. J'ai trouvé une certaine Roselyne Badel, conseillère en ressources humaines.

VOIX OFF DE ROSELYNE
Pour réussir à bien vous intégrer, essayez de savoir comment votre prédécesseur occupait son poste avant votre entrée en fonction.

SATURNIN
Ah ben oui, c'est bon ça !

VOIX OFF DE ROSELYNE
Face aux autres employés, prenez votre place mais sans jamais prendre parti.

SATURNIN
OK, oui !

VOIX OFF DE ROSELYNE
Vous marquerez des points si vous vous montrez désireux de connaître vos nouveaux collègues et attentif à ce qu'ils vous disent.

SATURNIN
Ah oui !

VOIX OFF DE ROSELYNE
Avec un peu d'observation, de tact et de psychologie, vous saurez vite vous rendre indispensable.

Saturnin sourit fièrement.

Scène 5 : Saturnin et les trieuses – infos importantes

Sur un tableau ou en projection ou selon une autre idée géniale, on voit : « Semaine 2. Lundi, 6 mai ».

Saturnin passe devant les trieuses de vêtements avec un panier plein d'objets.

SUZANNE
Pis, le trieur de cossins, t'aimes-tu ça trier des cossins ?

SATURNIN
Ah ben, c'est un peu *free jazz* mon affaire. Je sais pas comment l'ancien trieur d'objets fonctionnait…

DIANE, *le coupant*
Y en a jamais eu. Avant c'tait rien que l'monde en désintox qui venait *as is* donner du temps pour trier le tas d'cochonneries.

SATURNIN
Ah, les gens en désintox travaillent avec nous ?

JOHANNE
Non, non c'pas ça.

SUZANNE
Pantoute, Pitou. Y travaillent pas, y donnent du temps.

SATURNIN
Du temps ?

JOHANNE
Du temps.

DIANE
Du temps, y ont rien que ça eux autres.

SUZANNE
Ça leur coûte rien aux freaks de v'nir icitte.

JOHANNE
Ça leur coûte pas une cenne.

DIANE
Ça leur coûte juste du temps.

SUZANNE
Y ont juste à torcher, plier, laver, trier, ranger pis Jésus va les sauver.

Les trois répliques suivantes sont dites en même temps.

SUZANNE
C't'un bon *deal*.

JOHANNE
C't'un échange.

DIANE
C't'une grosse crosse.

SATURNIN
Y en a plusieurs qui travaillent avec nous?

Les trois répliques suivantes sont dites en même temps.

SUZANNE
Ben trop!

DIANE
Pas tant.

JOHANNE
Y en a une coup'.

SUZANNE
T'as dû en croiser c'est comme erien.

SATURNIN
Ah ben, peut-être que oui dans le fond.

JOHANNE
Qui t'a vu?

SATURNIN
Il était un peu agressif.

SUZANNE
C'est sûr, y sont en désintox. Y se défoulent sur n'importe quoi.

DIANE
Tu dis ça parce que tu sais pas c'est quoi.

SUZANNE
J'ai raison ou j'ai pas raison?

DIANE
C'est plus compliqué que ça.

JOHANNE
Qui t'a vu?

SUZANNE
Si c'est un agressif, ça doit être le gros Richard.

SATURNIN
Je sais pas. Je sais juste qu'on l'appelle Pénis.

Johanne et Diane éclatent de rire. Les deux répliques suivantes sont dites en même temps.

DIANE
Ben non!

JOHANNE
C'pas un désintox, ça!

DIANE
C't'un estie de régulier!

JOHANNE
C'est le fils à Suzanne!

SUZANNE
Arrêtez donc.

DIANE
Arrêter quoi? C'pas ton fils?

SUZANNE
Ben oui, mais tout le monde est pas obligé de le savoir.

DIANE
Pourquoi?

SUZANNE
On mélange pas la job pis la vie personnelle.

31

SATURNIN
Excuse-moi Suzanne, je voulais pas dire agressif.

DIANE
C'pas toi qui l'as faite engager icitte?

SATURNIN
Je me suis mal exprimé.

SUZANNE
Y s'est faite engager tu seul.

DIANE
Ben oui, c'est ça.

SATURNIN
Il devait juste être un peu nerveux.

SUZANNE, *ignorant la question*
Pis qu'est-cé qu'un p'tit étudiant comme toi vient faire à travailler par
icitte?

SATURNIN
Ben je… j'me cherchais une job pis…

SUZANNE, *le coupant*
Tu restes-tu juste pour l'été?

SATURNIN
À moins que j'aie encore du temps mais je sais pas si…

SUZANNE, *le coupant*
Tu dois trouver ça exotique han de venir travailler dans le sous-sol avec
le monde comme nous autres?

SATURNIN
Ben non.

SUZANNE
T'es-t-en vacances. C'est ça qu'on fait l'été, aller visiter des drôles de
place.

DIANE
Laisse-lé donc tranquille là, Suzanne.

SUZANNE
Qu'est-cé que j'ai dit de pas correct?

DIANE
Tu le mets mal à l'aise, là, tu le vois ben!

SUZANNE
Y est pas mal à l'aise. Han, Pitou?

SATURNIN
Non non.

JOHANNE
Heille! Y m'semble que ça te ferait bien ça, Saturnin, ç'a l'air de ta grandeur.

DIANE
Wow! c'est donc ben beau.

SATURNIN
Ah euh...

JOHANNE
C't'une nouvelle *batch*.

DIANE
C'est chaud-chaud, ça vient juste de rentrer.

JOHANNE
Tu prends ça *as is*.

SATURNIN
Vous triez le nouveau stock?

Les trois répliques suivantes sont dites en même temps.

SUZANNE
Ben oui!

DIANE
Voyons!

JOHANNE
C'est sûr!

SUZANNE
On va quand même pas commencer par trier les sacs bruns dans le fond.

JOHANNE

Ça aurait pas d'bons sens.

DIANE

Sont tellement loin, qu'on les triera jamais.

SUZANNE

C't'aussi ben, m'as te dire. Y doit avoir des nids à rats là-dedans.

Les trois répliques suivantes sont dites en même temps.

DIANE

Des colonies d'rats.

JOHANNE

C't'écœurant.

SUZANNE

Une grosse gang.

Elles rient.

JOHANNE

Tu peux tchéquer avec nous autres si tu veux. C'que je porte, je l'ai pogné là.

SATURNIN

On a le droit de prendre du linge ?

Temps. Inquiétude.

SUZANNE

Ben non.

DIANE

Ce serait du vol, ça.

SUZANNE

On vole pas l'Armée du Rachat, Pitou.

JOHANNE

On a juste le droit de tchéquer les affaires avant d'es envoyer en haut.

SUZANNE

C't'après qu'on a le droit d'es acheter.

DIANE
Comme le monde ordinaire.

JOHANNE
C'est tellement pas cher.

SUZANNE
Pis c't'argent-là a va à l'Armée du Rachat.

DIANE
Ça serait comme les voler.

JOHANNE
Pis on vole pas Dieu quand même.

SUZANNE
Ça serait ben le boutte de la marde de voler Dieu.

Saturnin retourne à son tas.

Scène 6 : Le gros Richard

Saturnin est devant le tas, il prend quelque chose, c'est un bras! Il crie.

SATURNIN
Aaaah!

Ça réveille violemment le propriétaire du bras, le Gros Richard, qui dormait dans le tas.

LE GROS RICHARD
Aaaaaah!

Ils reprennent leurs esprits.

SATURNIN
Qu'est-ce que vous faites là?

LE GROS RICHARD
Sacrament, tu veux ma mort, toi? Barnak, tu parles d'une manière de réveiller l'monde.

SATURNIN
Vous êtes qui?

LE GROS RICHARD
J'viens donner du temps, chus ton *helper*.

SATURNIN
Han?

LE GROS RICHARD
C'est ben toi le trieur de cossins?

SATURNIN
C'est ça, oui.

LE GROS RICHARD
Moi, c'est le Gros Richard.

SATURNIN
Richard?

LE GROS RICHARD, *fouillant dans le tas*
Le Gros Richard.

SATURNIN
Moi, c'est Saturnin.

LE GROS RICHARD
Ouan, c'est ça qu'on m'a dit... Ça doit faire drôle d'avoir un nom de planète.

SATURNIN
Pardon?

LE GROS RICHARD
Ça doit faire drôle d'avoir un nom de planète.

SATURNIN
Ah oui, je... vous mélangez avec Saturne.

LE GROS RICHARD
Quoi?

SATURNIN
Non, je dis que vous vous mélangez avec Saturne.

LE GROS RICHARD
Je mélange quoi?

SATURNIN
Mon nom.

LE GROS RICHARD
Je le mélange?

SATURNIN
Avec Saturne.

LE GROS RICHARD
C'pas ça ton nom?

SATURNIN
Non, c'est Saturnin.

LE GROS RICHARD
Ouan pis?

SATURNIN
Vous, vous parliez de Saturne.

LE GROS RICHARD
Saturne qui?

SATURNIN
Saturne personne. Saturne.

LE GROS RICHARD
C'est qui ça?

SATURNIN
La planète.

LE GROS RICHARD
Quelle planète?

SATURNIN
Saturne.

LE GROS RICHARD
Pourquoi tu me parles de Saturne?

SATURNIN
À cause de mon nom.

LE GROS RICHARD
C'est ça ton nom?

SATURNIN
Non, moi c'est Saturnin.

LE GROS RICHARD
OK.

SATURNIN
C'est ça.

LE GROS RICHARD
C'est ça quoi?

SATURNIN
Saturne.

LE GROS RICHARD
Tu commences à me faire chier avec ton Saturne.

SATURNIN
C'est vous qui en avez parlé.

LE GROS RICHARD
De Saturne ?

SATURNIN
Oui.

LE GROS RICHARD
Pourquoi j'aurais parlé de Saturne ?

SATURNIN
À cause de mon nom.

LE GROS RICHARD
C'est ça ton nom ?

SATURNIN
Non, c't'à cause d'la ressemblance avec la planète.

LE GROS RICHARD
Quelle planète ?

SATURNIN
Saturne.

LE GROS RICHARD
Saturne ?

SATURNIN
Oui.

LE GROS RICHARD
Heille wô stop ! C't'essouflant parler avec toi.

SATURNIN
OK.

LE GROS RICHARD

Ciboire. (*Il retourne fouiller dans le tas.*) Tu donnes pas le goût d'avoir des conversations.

SATURNIN

Ah…

LE GROS RICHARD

J'en ai un! (*Il sort un casse-tête de paysage.*) R'garde ça! C't'un beau paysage, han?

SATURNIN

Oui, oui.

LE GROS RICHARD

Des arbres, de l'herbe, du ciel, de l'eau, des oiseaux qui volent dans le coin. Wow! Dire que ça existe *as is* des places de même.

SATURNIN

Sauf que les oiseaux doivent pas être dans le coin.

Il rit un peu de sa blague.

LE GROS RICHARD

Quoi?

SATURNIN

Je dis que les oiseaux doivent pas être dans le coin.

LE GROS RICHARD

Quel coin?

SATURNIN

Le coin du casse-tête.

LE GROS RICHARD

Y sont dans le coin.

SATURNIN

Mais pas pour vrai.

LE GROS RICHARD

Comment ça?

SATURNIN

Pour vrai y a pas de coin.

LE GROS RICHARD
Tu penses que le puzzle a pas de coin?

SATURNIN
Oui, oui y a des coins.

LE GROS RICHARD
Mais y a pas d'oiseaux?

SATURNIN
Ben oui y a des oiseaux.

LE GROS RICHARD
Mais y sont pas dans le coin?

SATURNIN
Oui oui.

LE GROS RICHARD
C'est quoi le problème d'abord?

SATURNIN
C'est que pour vrai, dans la réalité les...

LE GROS RICHARD, *le coupant*
Oh boy, je t'arrête tu suite mon Saturne parce que sinon on s'en sortira
pas.

SATURNIN
Saturnin.

Richard prend le casse-tête, le sent, le brasse.

LE GROS RICHARD
Penses-tu qu'y est complet?

SATURNIN
Comment voulez-vous que je le sache?

LE GROS RICHARD
On dirait que oui.

Il s'installe pour le faire.

SATURNIN
Vous allez l'faire?

LE GROS RICHARD
Ouan.

SATURNIN
Vous voulez être sûr qui est complet avant de l'envoyer en haut?

LE GROS RICHARD
Ça m'rilaxe de faire ça, les puzzles. Penses-tu qu'y est complet?

SATURNIN
Je le sais pas.

LE GROS RICHARD
C'est ça qui est maudit, si je le fais pis que je me rends compte juste à fin qu'y manque des morceaux, ça va tellement m'déprimer. Voir c't'image-là incomplète, comme défigurée juste à cause d'un ostie de p'tit morceau pas capable de rester dans sa boîte. Pas moyen de le finir… pas moyen… totalement impuissant, pas moyen de retrouver le morceau qui manque, être obligé d'accepter ça… pas de choix, rien, pas d'autres possibilités que de me fermer à yeule comme un minable. Ça va juste me donner le goût de me paqueter.

SATURNIN
Vous devriez peut-être pas le faire.

LE GROS RICHARD, *se relèvant les manches et commençant*
Faut vivre dangereusement, Saturne!

SATURNIN, *au public*
Travailler tu seul. Ça m'a pris quelques semaines avant de comprendre que ça voulait pas dire: «travailler avec personne».

Un chant se fait entendre d'un autre étage.

LE GROS RICHARD, *soulagé*
T'entends-tu ça? C'est l'Armée de Dieu, mon Saturne, pour notre rachat éternel.

LA CHANSON DU SALUT
Doux, semblable au lacrimosa d'un requiem.

Écorchés par la vie laide et cruelle
Vous croyez finir dans une poubelle

Pour sauver vos âmes, brebis égarées
Nous prions Jésus de vous protéger

Dieu est une bien meilleure boisson
Il répond à vos nombreuses questions

Pourquoi m'a-t-elle quitté?
C'est de Dieu la volonté
Je me sens si malheureux
Mais c'est ce qu'a voulu Dieu

Dieu est une bien meilleure boisson
Il répond à vos nombreuses questions

C'est la plus belle des gestions
La fin des interrogations

Richard se met à chanter avec eux et sort.

Dieu est une bien meilleure boisson
Il répond à vos nombreuses questions

C'est la plus belle des gestions
La fin des interrogations

Scène 7 : 1ᵉʳ dîner ou Les objets étranges

Sur un tableau ou en projection ou selon une autre idée
géniale, on voit: «Semaine 3. Lundi, 13 mai. Après la
fête des Mères.»

VOIX OFF DE ROSELYNE
N'oubliez jamais que l'heure du lunch est l'occasion idéale pour nouer
des liens et se ressourcer avant de retourner au boulot pour l'après-
midi. Rien n'est plus vivifiant que le sentiment de travailler avec des
collègues qui sont des amis.

C'est l'heure du lunch, Tony, Suzanne, Johanne, Diane,
Pénis et Saturnin sont assis un peu partout.

TONY
Ça ressemblait pus ben ben à une main, c'tait comme un motton
d'viande pourrite. Au début j'pensais que c'était un steak.

Éclat de rire général.

JOHANNE
C't'écœurant!

DIANE
Qui c'est qu'y oublierait un steak dans un seau? Le monde est cave.

PÉNIS
C'est vrai que le monde est cave.

TONY
Hé, parle pas en mal de toi d'même, Pénis.

Rires. Les quatre répliques suivantes sont dites en même
temps.

PÉNIS
Heille, toi!

JOHANNE
Tu t'es faite pogner!

DIANE
Est bonne!

TONY
R'garde-lé, r'garde-lé!

SUZANNE
En tout cas c'est rare qu'on met un steak dans un seau. Pis de là à l'oublier, y faut être oublieux rare.

TONY
Faut être encore plus oublieux pour oublier une main.

PÉNIS
Surtout dans un seau.

TONY
Voyons Pénis, ç'a pas rapport ça!

> *Éclat de rire général. Les répliques suivantes sont dites en même temps.*

TONY
On s'en crisse du seau. Estie d'Pénis.

PÉNIS
Ben quoi?

DIANE
Parle pus, ça va nous donner un *break*.

JOHANNE
«Surtout dans un seau.» Tsss.

SUZANNE
C'est toujours ben surprenant. Moi, j'ai déjà trouvé des p'tites culottes mangeables.

JOHANNE
Ouan!

> *Rire général. Les trois répliques suivantes sont dites en même temps.*

TONY
Le monde a pas d'allure.

PÉNIS
Des culottes.

JOHANNE
Y étaient rouges!

DIANE
C'est moi qui les avais trouvées!

SUZANNE
C'pas important ça, Didi.

JOHANNE, *le coupant*
Des fois, aussi, on trouve de l'argent dins poches.

TONY
Ah ouan?

JOHANNE
Pas grand-chose, là, mais un peu.

TONY, *la coupant*
Quand vous trouvez de l'argent, y faut me l'amener tu suite, ça revient
à l'Armée du Rachat c't'argent-là.

JOHANNE
Ben oui, ben oui...

SUZANNE
C'est ça qu'on avait faite Tony, on l'avait donné directement aux bruns.

JOHANNE
Aux bruns, ouan!

TONY
Ben c'est mieux de passer par moi, pour les prochaines fois.

JOHANNE
Cré ben qu'on va le faire, Tony.

TONY
Les culottes vous pouvez les garder!

DIANE
Pourtant ça te ferait ben Tony!

Les quatre répliques suivantes sont dites en même temps.

TONY
Arrête donc toi.

SUZANNE
Woooo!

JOHANNE
T'es folle!

PÉNIS
Pour les manger, on pourrait les manger!

SUZANNE
Tu vas voir Saturnin, des fois on trouve des drôles d'affaires.

SATURNIN
Non, mais attendez là, c'est pas comparable quand même. Des drôles d'affaires. On parlait d'une main. C'pas comme des culottes ou de l'argent, c'est une main!

TONY
C'est toute un peu bizarre de nous donner ça.

SATURNIN
Ben non, je veux dire la main, elle, elle a appartenu à quelqu'un avant!

TONY
Toute c'qui est icitte a appartenu à quelqu'un avant.

SATURNIN
Ben oui, mais… vous trouvez pas ça plus grave que ça? Vous me niaisez, c'est ça?

Silence, ils le regardent perplexe.

PÉNIS
Y est fucké, le p'tit nouveau, han?

TONY
Ouan, c'est toi l'fucké icitte, Sat!

Rires. Les quatre répliques suivantes sont dites en même temps.

47

PÉNIS
C't'un estie d'fucké, le flo !

TONY
On a un fucké astheure.

SUZANNE
On est toutes fuckés !

JOHANNE
On l'est toutes.

SATURNIN
On parle quand même de la main d'un autre être humain.

PÉNIS
Ah OK. J'pensais qu'on parlait de la main d'un extraterrestre.

Rire général.

SATURNIN
Ça vous a pas inquiété de trouver une main ?

TONY
Si y fallait que j'm'en fasse pour toutes les cochonneries qu'on trouve, j'ferais ben un crise cardiaque par mois. C'est pas si *hot* que ça d'avoir trouvé une main, Sat, capote pas trop avec ça.

SATURNIN
Le gars qui a mis la main dans le seau, il l'a pas mis là pour rien. C'était peut-être un meurtre.

TONY
Ben là...

JOHANNE
Un meurtre ?

SUZANNE
Y a pas trouvé un corps au complet, c'tait rien qu'une main.

JOHANNE
Ben oui, c'tait pas au complet.

TONY
Peut-être qu'alle avait été coupée par accident ou ben... euh...

SUZANNE
Une chirurgie.

TONY
C'est bon ça.

DIANE
Les restes d'un embaumeur.

TONY
Ouan.

PÉNIS
Un accident!

TONY
Voyons Pénis, on l'a d'jà dit ça!

> *Rire général. Les cinq répliques suivantes sont dites en même temps.*

TONY
Criss t'es poche.

JOHANNE
Y écoute jamais.

PÉNIS
Je l'avais pas entendu. Je l'avais pas entendu!

SUZANNE
Écoute, estie.

DIANE
Si t'écoutes pas, farme ta yeule.

SATURNIN
Qu'est-ce que t'as faite après?

TONY
Après quoi?

SATURNIN
Avec la main.

TONY
J'l'ai crissée dins vidanges *as is*, qu'est-ce tu voulais que j'fasse?

SATURNIN
T'as pas appelé la police?

TONY
Pourquoi j'aurais faite ça?

SATURNIN
Pour trouver à qui elle appartenait.

TONY
Comment tu voulais qu'y trouvent ça?

SATURNIN
Avec les empreintes digitales.

TONY
Pourrite comme ètait, crois-moi qu'a' n'avait pus d'empreintes digitales.

Éclat de rire général. Les trois répliques suivantes sont dites en même temps.

JOHANNE
Ah c't'écœurant!

SUZANNE
On mange, là!

PÉNIS
C'est sûr, han, c'est sûr!

SATURNIN
T'avais pas l'droit de la jeter, comme ça, sans te poser de questions. Y a quand même des conséquences...

TONY, *le coupant, s'énervant*
Voyons donc toi, j'avais pas l'droit! Quand l'monde envoye du stock icitte, y s'en débarassent pis y veulent pus en entendre parler. Pis en échange eux autres y me demandent pas c'que j'vas faire avec leur vieux stock. On se laisse tranquilles icitte, on s'fait pas chier. Faque si je décide de me torcher avec des poupées Bout d'choux m'as l'faire, pis y a personne qui va se scandaliser de d'ça, OK? Si je trouve une main

en train de pourrir dans un seau, j'la crisse dans l'compacteur, merci-bonsoir. C'correct ça? Cibolac. Dans quèque temps c'est toi qui vas trouver des affaires bizarres pis tu vas finir par trouver ça ben ordinaire.

TOUS
Ouan.

SUZANNE
Ben oui là, c'parce que tu commences, là, Pitou.

JOHANNE
Tu commences.

JOHANNE, *le coupant*
Richard a déjà trouvé un œil de vitre, lui!

TONY
J'm'en rappelle de d'ça.

PÉNIS
Ouan, on avait niaisé avec!

SATURNIN
D'ailleurs il est où Richard? Pourquoi il mange pas avec nous?

Malaise.

DIANE
Ben là…

JOHANNE
C'est sûr.

SATURNIN
On pourrait l'inviter. Je pense qu'il passe le dîner tout seul.

SUZANNE
Richard c'est pas un employé.

SATURNIN, *ne comprenant pas*
Il travaille avec nous.

TONY
Y est en désintox Sat, fais pas comme si tu le savais pas. Nous autres on va pas dans les «locals» des désintox.

PÉNIS
Je sais même pas où y sont.

TONY
Eux autres viennent pas icitte.

SATURNIN
Pourquoi?

TONY
Parce que c'est de même, c'est toute.

Silence de malaise. Saturnin fait un ultime effort pour s'intégrer.

SATURNIN
Ben oui, j'oubliais! Bonne fête, Suzanne! Bonne fête, Johanne!

PÉNIS, *riant fort, seul*
Non mais 'gardez-lé le p'tit rookie qui a pas rapport! C'est pas leur fête pantoute! Han? Pourquoi tu dis ça toi?

SATURNIN
Ben… à cause de la fête des Mères.

PÉNIS
Han?

TONY
Pénis, c'était la fête des Mères en fin de semaine.

Les quatre répliques suivantes sont dites en même temps.

DIANE
T'as pas souhaité bonne fête à ta mère?

PÉNIS
Ben oui. Je le savais. Je le savais.

JOHANNE
C'est le genre d'affaire qu'on oublie.

TONY
Criss t'es poche.

TONY

T'as pas souhaité bonne fête des Mères à ta mère, Pénis?

PÉNIS

Ben oui ben oui j'y ai souhaitée.

DIANE

Pourquoi tu t'en souvenais pus d'abord que c'était hier?

PÉNIS

Je l'ai oublié là là, mais hier j'y ai souhaité bonne fête des Mères.

TONY

Tu l'as oublié juste là là?

PÉNIS

Ça s'peut ça? Han, Suzanne, que je te l'ai souhaitée?

Tous se tournent vers elle, petit silence.

SUZANNE

Ben oui, y me l'a souhaitée. De toute façon, on s'en sacre-tu pas rien qu'un peu de c'te fête niaiseuse là?

PÉNIS

Ouan c'est ça, on s'en sacre de ça nous autres. Ouan. Moi je... Moi...

LA CHANSON DE PÉNIS

PÉNIS

Moi j'ai pas besoin de... moi... Moi on m'appelle Pénis. Moi. C'est Tony qui a trouvé ça. Pénis. Y est drôle en maudit notre Tony. *Big Tony*! Y a trouvé ça, Pénis! Je pense que c'est parce que je travaille dur. Ou ben parce que j'aime ça moi les pogos. Je mangerais rien que ça, mais c'pas bon pour ma santé. C'est la moutarde que j'aime le plus, avec le goût de la saucisse...

Tous quittent un à un pendant la chanson de Pénis. Pénis se retrouve seul. Il sort.

Scène 8 : Le vol

Johanne, seule, est en train de fouiller dans le tas. Saturnin revient, la voit et se cache. Elle trouve un chaudron qu'elle inspecte. Elle le met dans un sac et part.

VOIX OFF DE ROSELYNE

Lors des premières semaines, vous devrez trouver l'équilibre entre modestie et initiative. Vous ne devez surtout pas rester passif. Si vous avez été engagé, c'est pour remplir un rôle. N'ayez pas peur de prendre les responsabilités liées à votre poste et de les assumer avec assurance. Montrez à votre employeur qu'il a fait le bon choix en vous engageant !

Tony est assis à son bureau, le chaudron en main. Devant lui se tient Johanne. Saturnin est derrière Tony.

TONY

Ouan, ouan, ouan, ma belle p'tite Johanne.

JOHANNE

S'cuse-moi, Tony.

TONY

Pourtant t'es pas en désintox, toi. Y a des voleurs partout, mon Sat, partout.

JOHANNE

J'suis pas une voleuse, Tony.

TONY

Ben non, t'as emprunté le chaudron pour te faire cuire des p'tits pois, mais tu voulais le ramener après, c'est ça ? C'est-tu ça, cibolac ? Qu'est-cé que tu penses, que tu peux te servir dans l'tas comme si de rien n'était ?

JOHANNE

J'pense pas ça.

TONY

T'es une employée, Johanne, comme les autres employés. Y a pas de privilège, icitte. Si je peux pas faire confiance à mes employés, qu'est-ce je vas faire, moi, Johanne? Han? M'as passer mes journées à vous tchéquer? Chus-tu entouré de voleurs, moi, icitte?

JOHANNE
Tu peux me faire confiance, Tony.

TONY
Par chance que j'ai Sat qui a pas peur de vous stooler, tabarnak. C't'écrit en lettres grosses de même à l'entrée «Interdiction de prendre vêtement, meuble ou tout autre objet sans l'approbation de la direction»! T'as-tu eu l'approbation de la direction, toi?

JOHANNE
Non.

TONY
C'est l'Armée de Dieu, Johanne. On vole pas l'Armée de Dieu, criss.

JOHANNE, *au bord des larmes*
Je le sais ben.

TONY
Quand les bruns vont savoir ça, y vont ben mettre des caméras partout.

JOHANNE
Tu vas pas leur dire, Tony?

TONY
Qu'est-ce tu veux que je fasse d'autre?

JOHANNE
Je le r'f'rai pus, j'te l'promets, Tony. Si tu leur dis que j'ai pris un chaudron *as is* de même, y vont me sacrer à porte.

TONY
P't'être pas.

JOHANNE
Tu le sais comme moi. J'ai besoin de travailler, moi, pis j'en trouverai pas d'autre job. Ça m'a pris tellement d'temps avant de trouver celle-là! On arrive déjà pas mal juste avec nos trois p'tits pis… Tu peux pas faire ça…

LA CHANSON DE LA PITIÉ

Je fais tellement pitié
Tony

55

Ça fait pas mal dur
ma vie

'Garde-moi la bédaine – Penses-tu qu'je l'voulais – Je le
sais pus quoi faire –
M'as virer su'l'top – J'ai pas de temps pour moi – J'peux
même pus dormir

Je travaille pour eux autres
Mes flos
Je respire pour eux autres
Mes flos

Va acheter de la bouffe – Frotte les pantalons – Ramasse
les dégâts
Fais donc tes devoirs – Oublie pas ton cass' – pour la nata-
tion

Pis quand chus rendue
Ici
Chus pus bonne à rien
Ici

Mon chum y capote – J'veux pus faire l'amour – Trop
d'choses à penser
J'vois pus mes amis – pis j'me sens coupab' – de pas app'ler
ma mère

Si je pouvais juste
Dormir
Pas me réveiller
Dormir

Je fais tellement pitié
Tony
Ça fait pas mal dur
Ma vie

Je travaille comme une folle pour...

TONY, *la coupant*

Ben oui ben oui, ça m'intéresse pas toute ça, moi. Tu t'arrangeras pour
faire brailler les bruns.

JOHANNE

Ça marchera pas, tu le sais ben, y s'en sacrent eux autres. Tu me laisseras pas dans rue, Tony?

TONY

Arrange-toi avec les bruns.

JOHANNE

Je le r'f'rai pus, Tony, j'te l'jure. Saturnin, dis-y, toi!

SATURNIN

Han? ben... je sais pas ce que tu veux que je dise...

TONY

Pis qu'est-ce qu'y me dit que c'est la première fois que tu fais ça, han? P't'être ben que si on allait chez vous, on aurait une méchante surprise.

JOHANNE

C'est la première fois, Tony. Je l'sais pas pourquoi j'ai faite ça, mais c'est la première fois, j'te l'jure. Han, Saturnin? Tu m'as jamais vue rien piquer avant, han?

SATURNIN

C'est vrai ça, Tony, c'était la première fois que...

TONY, *le coupant*

Ben oui, mais toi tu peux pas toute voir.

JOHANNE

Tu vois Tony, y m'a jamais vue!

TONY

Bon, chus tanné, là. J'appelle les bruns pis c'est toute.

JOHANNE

S'il te plaît, Tony. S'il te plaît, s'il te plaît... j'le f'rai pus, crois-moi, j'le r'f'rai pus jamais, Tony.

TONY

Tu veux que j'te crèye?

JOHANNE

S'il te plaît...

TONY
Mmmkay. Avec deux cents piasses m'as t'croire, moi, Johanne. Pis toi, mon Sat?

SATURNIN
Ben non... je...

TONY, *le coupant*
Faut ben y donner une chance à notre belle p'tite Jojo. Quatre cents piasses pis on va te croire nous autres.

JOHANNE
Quatre cents piasses?

TONY
C't'un bon *deal*, han?

JOHANNE
Je l'ai pas, moi...

TONY
Le temps que tu niaises, c'est rendu à cinq cents, Jojo.

JOHANNE
Ben là!

TONY
Six cents.

JOHANNE
OK, OK, c'correct, Tony!!

TONY
Parfait, tu nous amèneras ça le mois prochain, ça va te donner du temps.

JOHANNE
Merci Tony, merci ben gros. Merci, Saturnin...

SATURNIN, *de plus en plus mal*
De rien, c'est correct, de rien.

JOHANNE
Merci vraiment, vous me...

TONY, *la coupant*
Ben oui, on a compris.

JOHANNE

Merci. Vous allez pas en parler aux autres han? Faut pas que Suzanne apprenne ça! Diane non plus! Vous direz rien han?

SATURNIN, *mal à l'aise*

C'est sûr que non.

JOHANNE

Y faudrait pas qu'elles l'apprennent, c'est ma réputation qui...

TONY, *la coupant*

C'est beau là, enweye scrame!

Elle sort. Tony se tourne vers Saturnin.

TONY

C'est de la marde c'te chaudron-là. Tu le crisseras dans le compacteur.

Il sort.

VOIX OFF DE ROSELYNE

Afin que votre intégration soit couronnée de succès, il vaut mieux éviter de critiquer les façons de faire. Par exemple, il peut vous sembler exagéré de remplir un formulaire pour commander des trombones. Or, cette procédure facilite probablement la gestion du budget alloué aux fournitures de bureau.

Scène 9 : Tension de pouvoir

Sur un tableau ou en projection ou selon une autre idée géniale, on voit : « Semaine 4. Mardi, 21 mai. Lendemain du congé de la fête de la Reine. »

Saturnin est seul avec son tas. Pénis vient chercher des paniers.

PÉNIS

Heille, junior ! Faudrait que tu remplisses plus de paniers pour aller en haut ! Ça niaise là !

SATURNIN

T'es sûr ? Parce que Robert en haut m'a dit que...

PÉNIS, *le coupant*

C'est pas toi qui charroyes les paniers. C'est moi le chef des charroyeurs de paniers, pis je te dis de faire plus de paniers pour que j'en aye à charroyer !

SATURNIN

Est-ce que Tony est au courant du problème ?

PÉNIS

Wô les grands mots, y a pas de problème là. J'ai pas dit ça. Va pas dire à Tony que j'ai dit qu'y avait un problème !

SATURNIN

Tu disais qu'il manquait de paniers...

PÉNIS, *le coupant*

Fais-moi pas dire des affaires !

SATURNIN

Est-ce que Tony...

PÉNIS, *le coupant*

Ça s'est pas encore rendu jusqu'à lui, là. T'es donc ben rushant ! C'est mieux qu'on essaye de prévenir avant d'être pognés à guérir ! Garde ça entre toi pis moi. Y a pas grand stock qui rentre faque je me pogne le beigne. Pis quand je me pogne le beigne, les bruns se disent que le p'tit nouveau y doit pas faire sa job pour que j'aye rien à crisser de même. Pis t'aimerais-tu ça que les bruns viennent tchéquer c'que tu fais?

SATURNIN
Ça me dérangerait pas.

PÉNIS
Y a pas grand-chose qui te dérange, toi han?

VOIX OFF DE ROSELYNE
Afin de sortir indemne de votre milieu de travail, ne parlez pas de votre vie personnelle car vous pourriez être perçue comme une personne égocentrique. Lorsque vos collègues vous interrogent, profitez-en pour leur retourner leurs questions.

PÉNIS
Han? Qu'est-cé qui te dérange *little boy*?

SATURNIN
Toi qu'est-ce qui te dérange, Pénis?

Entre Suzanne.

SUZANNE
Êtes-vous en train de danser un *slow* les gars?

PÉNIS, *lâchant rapidement Saturnin*
Han? Non non. On jase c'est toute.

SUZANNE
Belle façon de jaser. Qu'est-ce que tu fais là, Pénis?

PÉNIS
Je viens chercher des paniers.

SUZANNE
Saturnin c'est-tu un panier?

PÉNIS
Ben non.

SUZANNE
Qu'est-ce t'as à y parler *as is* à deux pouces de la face? C'tu le genre d'affaire qu'on fait ça?

PÉNIS
Ben non, s'cuse-moi, m'man.

SUZANNE
Appelle-moi pas de même, icitte.

PÉNIS
S'cuse-moi, Suzanne.

SUZANNE
Qu'est-ce que tu y voulais à Saturnin?

PÉNIS
Rien. Je veux rien à personne. (*Il va pour sortir.*) En tout cas le rookie, bonne fête!

SATURNIN
C'est pas ma fête.

PÉNIS, *fier*
Ah non? Mais c'était la fête de la Reine hier.

SATURNIN
Je sais, oui.

PÉNIS
Ben tu vois! Y a pas juste moi qui oublie ça les fêtes des fois. Quand c'est la fête de la Reine, on est supposés se le souhaiter.

SATURNIN
Ah oui? J'ai jamais fait ça, moi.

PÉNIS
Non?... (*Il jette un coup d'œil à Suzanne.*)

SUZANNE
Ben non.

PÉNIS
Ben vous devriez peut-être commencer. Bonne fête!

Pénis sort.

SUZANNE, *à Saturnin*
Qu'est-ce qu'y avait à te pogner, Pitou?

SATURNIN

Je pense qu'il est pas très heureux que je travaille ici.

SUZANNE

Y est pas très heureux de grand-chose. Je sais pas pourquoi y est agressif de même. Moi j'avais un p'tit pit qui me lâchait pas pis qu'y riait tout le temps. Pis un moment donné je me suis réveillée, pis c'était c'te grande affaire-là qui veut pèter la yeule à tout le monde qui m'appelait maman. Pis y fallait que je continue à l'aimer de la même façon que j'aimais le p'tit pit qui me lâchait pas pis qu'y riait tout le temps. (*Silence.*) C't'une drôle de place pour travailler icitte, han ?

SATURNIN

Oui.

SUZANNE

À la longue, ça rentre dans le corps de fouiller dans le vieux stock.

SATURNIN

C'est particulier, oui.

SUZANNE

Un été, ça te laissera pas grand-chose, mais après trente-sept ans, ça fait beaucoup. Ça vient toute se ramasser *as is*... (*Elle touche son ventre.*) En tas. C'est peut-être ça qui a rendu Pénis de même.

SATURNIN

Toi aussi tu l'appelles Pénis ?

SUZANNE

J'aurais jamais dû le faire entrer icitte. Quand je le vois là à rouler ses paniers. Y aurait aimé ça que Tony pense à lui pour... Mais y t'a engagé, toi. Pis je comprends ça, c'est ben correct. Mais tu vas finir par partir. Va ben falloir quelqu'un. Quand tu vas t'en aller, tu pourrais pas t'arranger pour que Tony donne ta job à Pénis ?

SATURNIN

Je pense pas que Tony va...

SUZANNE, *le coupant*

Tony t'aime ben vu que t'es-t-un universitaire. Y te parle comme si t'étais son égal. Y va t'écouter.

SATURNIN

Je suis pas sûr que...

63

SUZANNE, *le coupant*

Aie pas peur, je te demande pas de faire ça gratis. Dis-moi combien tu voudrais en échange.

SATURNIN

Non non, c'est pas ça! Je veux ben essayer, je suis juste pas certain que Tony va m'écouter.

SUZANNE

On n'a rien pour rien dans vie, à mon âge on a compris ça. Enweye combien tu veux?

SATURNIN

Rien, rien. Je te le dis.

SUZANNE

T'es mieux de me demander quelque chose en échange sinon je vas penser que t'es un *weirdo* croche qui cherche une façon de me crosser. Je te crois pas que tu veux rien. J'ai pas toute la journée, dis de quoi là!

SATURNIN

Je sais pas... Euh... J'aimerais ça qu'on laisse Richard venir dîner avec nous.

SUZANNE

Pourquoi?

SATURNIN

Ça lui ferait du bien.

SUZANNE

Comment tu veux que je fasse ça?

SATURNIN

Juste pas être contre l'idée, c'est assez.

SUZANNE

C'est ça l'affaire que tu veux?!

SATURNIN

Oui.

SUZANNE

T'as quand même l'air d'un *weirdo* croche.

SATURNIN
Au moins j'ai pas l'air de chercher une façon de te crosser.

SUZANNE
C'toujours ben ça.

Ils sourient. Elle sort.

VOIX OFF DE ROSELYNE
Savoir transformer les opportunités en situations gagnant-gagnante peut faire de vous un leader au sein de votre équipe de travail.

Scène 10 : Richard et l'aide

Sur un tableau ou en projection ou selon une autre idée géniale, on voit: «Semaine 5. Lundi, 27 mai. Rien à signaler.»

Saturnin retourne à son tas. Richard est en train de trier. Il met un poêlon dans le panier du compacteur.

SATURNIN
C't'encore bon ça, Richard.

LE GROS RICHARD
Le manche tient pas.

Il prend une gorgée dans une flasque.

SATURNIN
Tu bois?

LE GROS RICHARD
Han, non, c'pas de l'alcool. J'mets du thé là-dedans. C'parce que c'est pratique. Arrête de me tchéquer!

SATURNIN
C'était juste une question.

LE GROS RICHARD
T'es fatigant avec ça! C'est du thé. À part de d'ça t'es-tu payé pour m'espionner?

SATURNIN
Ben non.

LE GROS RICHARD
Mêle-toi de tes affaires.

VOIX OFF DE ROSELYNE
La principale cause de détresse chez les travailleurs, est l'isolement. Pour surmonter les épreuves stressantes d'un nouvel emploi, partager et discuter avec ses collègues sont deux choses essentielles.

SATURNIN
Savais-tu que la majorité des gens qui ont des problèmes d'alcool arrivent pas à s'en sortir parce que personne de leur entourage ose leur en parler? Est-ce que les autres employés t'en parlent?

LE GROS RICHARD
Chus pas un employé, moi, chus un «désintox». Y a personne qui vient me parler.

SATURNIN
Moi je t'en parle, Richard.

LE GROS RICHARD
Ouan t'es-t-intense, Saturne...

SATURNIN
Je vais le prendre comme un compliment, Richard, parce que je crois que les rapports sont souvent tronqués par des faux-semblants, des malaises, des masques qu'on garde parce qu'ils ont déjà eu leur utilité mais qui sont devenus inadéquats avec le temps.

Petit temps. Richard le regarde, prend une gorgée.

LE GROS RICHARD
Ça doit pas être reposant vivre avec toi.

SATURNIN
Ah... peut-être. Mais toi, Richard, qu'est-ce que...

LE GROS RICHARD, *le coupant en prenant un toutou*
Pourquoi t'as pas mis ce toutou-là dans le compacteur?

SATURNIN
Y est ben correct.

LE GROS RICHARD, *regardant le toutou*
Y est lette. Les toutous qui sont lettes, crisse-lé dans le compacteur. Y se vendra pas.

SATURNIN
Y a rien, y est pas brisé.

LE GROS RICHARD
Y est lette! Brise-lé *as is* si ça te donne bonne conscience pis crisse-lé dans l'compacteur.

SATURNIN

C'est pas parce qu'il est pas beau, qu'il a pas droit à une deuxième chance.

LE GROS RICHARD

Y est lette comme el'cul! Pourquoi tu penses qui est icitte? Y a un enfant qui a reçu ça pis qui a braillé pendant des heures parce que son ostie de toutou y était lette comme el'cul. Ses parents se sont dit: «Y est neuf, on est pas pour le jeter, on va l'envoyer à l'Armée du Rachat!» Mais y a aucune estie d'chance c'te toutou-là! Y va sécher s'es tablettes jusqu'à ce qu'on s'écœure pis qu'on le crisse dins vidanges. Faque arrête de l'niaiser pis crisse-lé donc tu suite dans l'compacteur.

SATURNIN

Y a peut-être quelqu'un qui va l'acheter, c'pas à moi de décider.

LE GROS RICHARD

C'est justement ça ta job, de décider. Toi, là, ben franchement Saturne, tu r'gardes c'te toutou lette là pis tu te dis «Ouin, y est beau. J'pourrais l'acheter. Je le veux chez nous»? C'est ça?

SATURNIN

Non, mais…

LE GROS RICHARD, *le coupant*

AH! – AH! – AH! On s'entend là-dessus. La pitié c'est bon pour personne. (*Il lui lance le toutou.*) Quand tu seras capable de faire ta job *as is*, tu le crisseras dans le compacteur, c'est là sa place. Pis arrête de me tchéquer, ça va m'éviter de pogner les nerfs pour erien.

SATURNIN

Je te tchèque pas, Richard. Je suis juste là.

LE GROS RICHARD

On est pas des grands chums faque lâche-moi l'cul un peu… (*Il sort une flasque d'alcool qu'il boit sans vraiment se cacher.*) M'as encore me paqueter avec tes histoires.

SATURNIN

Je vais aller le jeter.

LE GROS RICHARD

Tant mieux.

Tony entre.

TONY
Le compacteur !

LA CHANSON DU COMPACTEUR

TOUS
Le compacteur !

Com-pac-teur
Compacteur – compacteur
Com-pac-teur
Compacteur – compacteur

Qui déconstruit, qui déchiquette, qui démantèle, qui démolit
Qui ratatine, qui racornit, qui rapetisse, qui rabougrit

Aucune pitié, sans compassion, aucun espoir de s'en sortir
Il écrabouille d'une lenteur, d'une froideur qui fait frémir

Ce matelas usé d'amants trop enflammés
Valise transpercée qui n'a pas voyagé
Petit miroir cassé, un mauvais coup de pied
Une T.V. décrissée à l'image figée
La poupée déchirée par deux sœurs enragées
Vieille robe démodée, le temps qui a passé
Pauvres abandonnés, souvenirs oubliés,
Ils seront étouffés, dans la mort compactée.

Com-pac-teur
Compacteur – compacteur

Aucune pitié, sans compassion, aucun espoir de s'en sortir
Il écrabouille d'une lenteur, d'une froideur qui fait frémir

Com-pac-teur
Compacteur – compacteur

69

Scène 11 : Confidence

Saturnin observe le compacteur en train de broyer les déchets. Diane s'approche de lui.

DIANE
C'est beau, han ?

SATURNIN
C'est vraiment fascinant. Une fascination morbide. Peut-être qu'à travers cette destruction-là, absolue, émerge un certain esthétisme.

DIANE
Ouan... peut-être.

SATURNIN
C'est dur de pas être hypnotisé.

DIANE
À chaque fois que le compacteur part, je viens ici. On a une bonne vue.

SATURNIN
C'est étrangement apaisant.

DIANE
Comme un coucher de soleil. On est tristes qu'y parte, mais c'est beau.

SATURNIN
Mm.

DIANE
Le monde est fucké icitte, han ?

SATURNIN
Pas plus qu'ailleurs.

DIANE
Je sais pas ailleurs. Mais icitte, on est fuckés. Y en a qui disent que tu dois cacher quelque chose pour venir travailler icitte.

SATURNIN
Cacher quoi?

DIANE
Une coup' d'affaires croches.

SATURNIN
Non, pas vraiment, non.

DIANE
Tu dois ben être fucké quèque part.

SATURNIN
Je m'en rends pas compte.

DIANE
On a toutes nos bibittes. Quand le monde se ramassent icitte, c'parce qu'y ont pus nulle part où aller. Moi c'tait l'héro, les *blows jobs* dins toilettes, pis toute ce marde-là. Toi?

SATURNIN
Euh… je me cherchais une job d'été pis j'avais pas d'expérience en rien.

DIANE
Ouan, ça devait être *rough*. (*Temps.*) Sais-tu pourquoi c'est toi qui as eu la job?

SATURNIN
J'pense pas que Tony a vu grand monde, j'ai dû être le premier pis y voulait pas trop se compliquer la vie.

DIANE
C'est pas trop le genre à Tony.

SATURNIN
De quoi?

DIANE
De pas avoir de raison.

SATURNIN
Ah.

DIANE
C't'une belle job.

SATURNIN
Oui c'est bien.

DIANE
T'es le boss des cossins. T'es tu seul.

SATURNIN
Pas tant que ça, tout le monde passe par le tas.

DIANE
Mais t'as pas de Suzanne pour te runner.

SATURNIN
J'ai Tony.

DIANE
On a toutes Tony.

SATURNIN
Vu comme ça.

DIANE
Tu dois être ben dans ton tas.

SATURNIN
Avais-tu soumis ta candidature pour la job?

DIANE
Au début oui, mais je l'ai pas eue.

SATURNIN
Pourquoi?

DIANE
Y aurait fallu que je suce Tony, mais j't'écœurée de faire ça.

SATURNIN, *de plus en plus mal à l'aise*
J'comprends.

DIANE
Pense pas non.

SATURNIN
Non, t'as raison.

DIANE

Le monde comme toi y pensent que parce qu'y peuvent imaginer quelque chose, y le comprennent *as is*.

SATURNIN

Ça aide un peu quand même.

DIANE

Imaginer de quoi pis le vivre, c'est *fucking* pas pareil.

SATURNIN

Je pense quand même qu'y a moyen de comprendre, je sais pas, moi, le suicide par exemple sans être obligé de se suicider.

DIANE

T'es *cute*.

SATURNIN

Je dis pas ça pour être *cute*.

DIANE

C'pour ça que tu l'es.

SATURNIN

Ah euh… merci. T'es gentille.

DIANE

On dit jamais ça de moi.

SATURNIN

Peut-être qu'on devrait.

DIANE

Ça ferait bizarre.

SATURNIN

Justement.

DIANE, *légèrement troublée*

Ouan, non. C'est pas de même que je marche, avec de la gentillesse.

SATURNIN

C'est comment que tu marches ?

DIANE

Tout croche.

LA CHANSON DE «J'GÂCHE TOUTE»

DIANE

Je gâche tout le temps toute
Je pète toute
Je casse toute
J'échappe pis je magane toute

Y a rien qui tient dans mes mains
Le cœur plein de pouces
Je m'accroche à du sable trop fin

Quand j'étais p'tite
J'coupais les cheveux de mes Barbie
J'sautais sur mon lit
Pour le défoncer
J'pitchais des roches un peu partout
Juste pour savoir c'qui allait briser
J'tais fière de me dire
Qu'y avait rien qui pouvait me toffer

Là chus pus p'tite
J'coupe les liens avec mes amies
J'saute sur ma vie
Pour la défoncer
J'me pitche un peu n'importe où
Juste pour savoir quand je vas briser
Je suis pas fière de me dire
Qu'y a personne qui peut me toffer

Y a rien qui tient dans mes mains
Le cœur plein de pouces
Je m'accroche à du sable trop fin

Je gâche tout le temps toute
Je pète toute
Je casse toute
Jusqu'à ce qui me reste pus rien pantoute

*Saturnin prend Diane par les épaules. Consolateur. Elle
fige ne sachant pas comment réagir à cette tendresse. Puis,
finalement, se laisse aller dans ses bras.*

Scène 12 : Le cash

Sur un tableau ou en projection ou selon une autre idée géniale, on voit: «Semaine 6. Lundi, 3 juin. Après le Tour de l'Île de Montréal.»

Tony est à son bureau, un journal en main. Saturnin va le rejoindre.

TONY
Les osties de vélos... heille y vont-tu arrêter de nous faire chier à jammer nos rues? J'ai été pogné dans un trou de beigne, toutes les rues autour de moi étaient bourrées de bicyques, pas moyen de sortir. Je parques-tu mon *pick-up* dans une piste cyclable, moi, pour faire capoter *as is* une gang de crinqués en *shirts* moulantes? (*Il rit.*) T'imagines-tu, han? Assis-toi, assis-toi.

Saturnin regarde autour, il n'y a pas de chaises.

SATURNIN
Vous vouliez me voir? Est-ce que j'ai fait quelque chose qui vous a...

TONY, *le coupant*
Ben non ben non. Toute est ben correct, *good job*, mon Sat, *good job*. Y a juste la vieille Anglo des bijoux, madame Mac quèque chose là, qui trouve que tu y amènes pas assez de stock, mais la vieille criss a chiale tout le temps *anyway*... Pis?

SATURNIN
Pardon?

TONY
Pis sinon toi?

SATURNIN
Je vais bien, merci.

TONY
Pas trop de misère à faire ta place dans notre tas?

SATURNIN
Euh… non, ça va.

TONY
Va pas me faire croire que tu trouves ça *easy*?

SATURNIN
C'est évident que c'est une adaptation. Quelques personnes réagissent
à ma présence…

TONY, *se mettant à rire*
T'es drôle, Sat! C'est sûr qu'y en a pas un de content de voir un petit
pet comme toi, chef des trieurs de cossins.

SATURNIN
Ben là, «chef»… je suis tout seul.

TONY
T'as plus de pouvoir que tu penses entre les mains. Tins! Ça c'est le
salaire du chef. Les trois cents piasses de Johanne. Compte-lé chus pas
un crosseur.

SATURNIN
Je préférerais pas…

TONY, *le coupant*
Tu préférerais pas avoir trois cents piasses? Un étudiant ç'a pas besoin
d'cash, ça?

SATURNIN
Oui mais…

TONY, *le coupant*
Nanononon, y a pas d'affaire de «oui mais», OK? Laisse-moi te dire
que la Jojo a' s'en sort à bon compte. Si ça l'arrangeait pas, alle aurait
dit non. Pis j'ai pas souvenir qu'alle aye hésité ben ben longtemps.

SATURNIN
On devrait peut-être…

TONY, *le coupant*
On devrait juste prendre notre cash pis oublier toute ça. OK? OK?

SATURNIN
OK.

TONY
J'aime pas ça comment tu me regardes, Sat.

SATURNIN
J'vous regarde normal, Tony.

TONY
Tu penses que je suis un gros sale, han?

SATURNIN
Non.

TONY
C'est pas moi qui a volé.

SATURNIN
C'était juste un chaudron.

TONY
Y a des affaires que c'est correct de voler, pis y a des affaires que c'est pas correct?

SATURNIN
C'est pas très... gentil, ce que vous avez fait. Ce qu'on a fait.

TONY
Qu'est-cé que t'as à me faire chier avec ta gentillesse? Manger un steak c'est-tu gentil pour la vache? Depuis quand c'est important d'être gentil?

SATURNIN
Johanne avait visiblement des problèmes et on a profité pour...

TONY, *le coupant*
Come on, t'es plus intelligent que ça. Si j'avais pas crossé Johanne en lui demandant du cash, ce serait elle la voleuse qui fourre l'Armée de Dieu. T'imagines-tu ça? Notre belle Johanne qui a l'air plus pure qu'une *bunch* de chatons pas encore secs. A' virerait folle *as is* dans l'temps de le dire. Tandis que là c'est moi le méchant crosseur pis Jojo a peut dormir tranquille. Faut expier nos fautes, sinon ça va virer en cancer.

SATURNIN
Vous essayez de me faire croire que vous avez fait ça pour elle?

TONY

Y nous faut un méchant, ça nous rassure. Icitte ç'a l'air que c'est moi, *fine*. C'est ça ma job, c'est moi le boss. Toi, Sat, t'accepterais-tu ça d'être le gros sale?

SATURNIN

C'est pas ça l'Armée du Rachat? La gentillesse, l'entraide? Une deuxième chance?

TONY

L'Armée du Rachat... Conrad Blooth, fondateur et général en chef de l'Armée du Rachat, 19 mars 1912:
«Tant que les femmes pleureront, je me battrai
Tant que des enfants auront faim et froid, je me battrai
Tant qu'il y aura un alcoolique, je me battrai
Tant qu'il y aura dans la rue une fille qui se vend, je me battrai
Tant qu'il y aura des hommes en prison, et qui n'en sortent que pour y retourner, je me battrai
Tant qu'il y aura un être humain privé de la lumière de Dieu, je me battrai
Je me battrai
Je me battrai
Je me battrai.»
T'entends-tu parler de gentillesse toi là-dedans? C'est en se battant qu'on se fait comprendre, pas en étant un ostie de gentil.

SATURNIN

On peut obliger quelqu'un par la force, mais si on veut le changer, profondément, ça passe par la compréhension, l'altruisme, le...

TONY, *le coupant*

Quand tu vas te ramasser avec un *freak* en désintox qui va pèter sa coche dans ta face pis qu'y va menacer tout le monde avec un couteau à pain, quand y va te gosser un deuxième nombril un peu plus large à côté de celui que t'as, tu viendras me reparler d'altruisme pis de compréhension.

SATURNIN, *horrifié*

Ça vous est arrivé?

TONY

Enweye scrame, là, j'ai d'autres choses à *planer*.

Saturnin sort.

Scène 13 : L'album

Sur un tableau ou en projection ou selon une autre idée géniale, on voit: «Semaine 8. Lundi, 17 juin. En plein dans les Francofolies: de la pluie toute la semaine.»

Richard, soûl, est affalé dans le tas. Saturnin s'approche de lui.

VOIX OFF DE ROSELYNE
Si vous vous impliquez à fond dans votre emploi, vous ne vous en lasserez jamais. Car comme le disait si bien Albert Einstein: «Placez votre main sur un poêle une minute et ça vous semble durer une heure. Asseyez-vous auprès d'une jolie fille une heure et ça vous semble durer une minute. C'est ça la relativité.»

SATURNIN
Richard? Qu'est-ce que tu fais là?

LE GROS RICHARD
Han? Quoi? Qu'est-ce qu'y a? Je dors pas. Je me reposais les yeux. Mes allergies pis toute ça.

Il essaie de se relever, tombe, s'enfarge. Saturnin va l'aider.

SATURNIN
Attends, je vais t'aider.

LE GROS RICHARD, *très agressif*
Pas besoin d'aide! Chus pas un estie d'handicapé! T'as rien d'autre à crisser, là?

SATURNIN
Oui oui.

LE GROS RICHARD
Ben gêne-toi pas pour moi. M'as me lever là... ça sera pas long, j'veux juste rilaxer quèques secondes.

Saturnin s'éloigne. Il sort de sa poche les trois cents dollars donnés par Tony.

SATURNIN
Richard… Je voudrais te donner ça.

LE GROS RICHARD
Qu'est-cé ça ? Tu veux me donner du cash ?

SATURNIN
C'est pas à moi, je veux pas le garder. Tiens.

LE GROS RICHARD
Tu me prends-tu pour un ostie de quêteux ? Je t'ai jamais rien demandé.

SATURNIN
Non non, pas du tout. Ça me fait plaisir de te le donner.

Temps. Richard hésite, regarde l'argent puis Saturnin.

LE GROS RICHARD
Tu veux me fourrer dans le cul, c'est ça ?

SATURNIN
Han ?

LE GROS RICHARD
Tu veux mettre ton estie de graine dans mon criss de trou de pet pour une centaine de piasses ?

SATURNIN, *mal à l'aise, reculant*
Non non ! Je veux pas…

LE GROS RICHARD, *le coupant*
Tu sauras que je fais pus ça des affaires de même ! Garde-lé ton câlice d'argent !

SATURNIN
Je veux juste t'aider, Richard.

LE GROS RICHARD
Ouais ben c'est *weird* ton affaire !

SATURNIN
C'était juste de l'aide, sans arrière-pensée. Juste comme ça !

Saturnin range l'argent dans sa poche.

LE GROS RICHARD
Ouan ben... pas besoin de... OK? Laisse-moi donc respirer là le temps que je me remette de... de toute ça. T'as pas des gogosses à trier?

SATURNIN
Ben oui.

LE GROS RICHARD
Ben c'est ça. Va trier des gogosses! Moi m'as juste... prendre un deux secondes... pour rilaxer...

Saturnin trouve un album photo et le feuillette.

SATURNIN
Les gens jettent vraiment n'importe quoi.

LE GROS RICHARD
Ben oui ben oui...

SATURNIN
T'as vu ca?

LE GROS RICHARD, *les yeux fermés*
C'est malade...

SATURNIN
Pourquoi on jetterait un album photos avec toutes les photos dedans?

LE GROS RICHARD, *se relevant*
Je l'avais trié ça! C'est pour le compacteur!

SATURNIN
Tu as pris ça où?

LE GROS RICHARD
Dans le tas, où c'est que tu veux que je prenne ça?

SATURNIN
C'est bizarre de jeter des souvenirs.

LE GROS RICHARD
C'est peut-être rien qu'une vieille qui est morte pis qui s'est faite ramasser toute son stock par ses petits-enfants qui ont pitché ça dans des boîtes pis dompé ça icitte. Qu'est-ce t'attends pour le crisser dans l'compacteur?

SATURNIN

Ces gens-là ils ont existé, ils existent peut-être encore. Si je jette cet album-là, c'est comme si je les effaçais.

LE GROS RICHARD

De quessé tu parles?

SATURNIN

Des fois je me dis que peut-être qu'on connaît pas le plus grand compositeur de l'humanité juste parce que ses partitions ont disparu dans un incendie. Ce que je veux dire, c'est que personne se souvient même qu'il a existé, qu'il a respiré, alors que c'était un génie, qu'il a consacré sa vie à une œuvre vaine, futile, envolée en cinq minutes dans un feu. Mais on le connaît pas, on le sait même pas qu'on le connaît pas.

LE GROS RICHARD

Si on le sait pas qu'on le connaît pas, comment tu peux savoir qu'y a existé ton bonhomme?

SATURNIN

Y a peut-être pas existé non plus, on le saura jamais.

LE GROS RICHARD

Heille, on va pas s'en faire pour quelqu'un qu'y a pas existé.

SATURNIN

C'est l'idée qu'il ait pu exister qui est angoissante.

LE GROS RICHARD

T'sé Saturne, moi j'ai assez de problèmes de même pour pas perdre de temps avec des affaires qui existeraient peut-être mais qu'on le saura jamais de toute façon! Ciboire, tu trouves pas que ça va assez mal de même? M'as le jeter moi si t'es pas capable!

SATURNIN

Peut-être que c'est la seule trace de leur existence qui reste. Leur maison a été vendue, y ont pas eu d'enfants ou ils sont morts, il reste juste des vieilles photos dans un album. Une fois ça jeté... ça va être fini. Mon regard sur ces photos-là, c'est... c'est leur dernière étincelle d'existence.

LE GROS RICHARD

Peut-être que c'est ça que je veux. Que ça disparaisse une fois pour toute.

SATURNIN
Je comprends pas.

LE GROS RICHARD
Y est fourré là monsieur «je veux sauver la veuve, l'orphelin pis son chien à trois pattes tant qu'à y être»... Des raisons de le jeter, y en manque pas.

SATURNIN
Il est à toi?

LE GROS RICHARD
Les osties de souvenirs...

LA CHANSON DES HISTOIRES DU GROS RICHARD

LE GROS RICHARD
J'étais marié moi, j'avais même une grande fille de douze ans, une belle job, un REER conjoint, un char, une maison, un chien, une piscine, une tondeuse. J'avais toute ce qu'y fallait pour être heureux de mon bonheur. Mais j'aimais ben ça gambler. Des petits montants au début pis après ça l'ostie d'escalier où tu te dis que tu vas te refaire.

Faque un soir j'ai joué mes REER pis ceux de ma femme
J'ai toute perdu. J'ai toute perdu
J'ai pas eu le courage de rentrer chez nous
Chus pas r'venu – Chus pas r'venu
J'espère qu'y pensent que je suis mort

SATURNIN, *au public*
Mais dépendamment des jours, l'histoire de Richard va changer. La semaine d'après y va me dire:

LE GROS RICHARD
Ma mère a toute essayé pour pas m'avoir, faire du vélo, se pitcher en bas d'un escalier, se fouillasser avec des aiguilles à tricoter. Quand j'ai fini par sortir avec toutes mes morceaux, a' m'a abandonné dans un des casiers du vestiaire du Lac des Castors.

Faque j'ai été élevé par n'importe qui
Surtout personne. Surtout personne
Je sais pas d'où j'viens, je sais pas si j'vas quèqu' part

Ça m'empoisonne. Ça m'empoisonne
Je me sens comme si j'étais déjà mort

SATURNIN, *au public*
Un matin, en tombant sur une trousse à maquillage, ça va
être :

LE GROS RICHARD
J'avais une belle blonde, je l'aimais comme un malade. Je
pleurais à chaque fois que je la touchais. Quand est tom-
bée enceinte, ça m'a fait capoter d'imaginer qu'y aurait
quelqu'un entre nous deux.

Faque j'ai tchoké comme un cave, j'me suis poussé
J'l'ai crissée là – J'l'ai crissée là
Je sais même pas si j'ai une p'tite fille
Ou un p'tit gars – Ou un p'tit gars
J'ai envie de noyer mes remords

SATURNIN, *au public*
En lisant le journal y va me confier que :

LE GROS RICHARD
Mon père c'était pas un mauvais gars, ma mère non plus.
C'est juste que, elle, alle avait ben peur de lui. Elle fermait
sa yeule quand y venait dans ma chambre pour me tripoter. Moi aussi je fermais ma yeule. Un beau concert de
fermage de yeule.

Faque ça m'a écœuré des pères, des mères, de toute
Surtout de moi – Surtout de moi
Ça m'écœure les familles pis les p'tits couples
J'ai pas eu l'choix – J'ai pas eu l'choix
À moitié né, un pied dans ' mort

SATURNIN, *au public*
Ça c'est quand y me dira pas que :

LE GROS RICHARD
J'ai toujours vécu tu seul. Pas de blonde pas de problèmes.
Je prenais un coup, une fois par semaine pis c'est toute.
Mon *bug* c'est que je perds la carte quand je bois. Un soir,
j'ai frappé un gars dans une ruelle. Y est mal tombé pis y
s'est jamais relevé. J'en ai pris pour une coup' d'années en
dedans.

Faque quand chus sorti – chus pas vraiment sorti de d'là
J'étais fucké – J'étais fucké
Pas facile de repartir quand t'as pus rien
C'est pas pour moé – C'est pas pour moé
Chus fini, on m'a condamné à mort

SATURNIN, *au public*
J'ai jamais su si y avait une seule histoire de vraie. Je me
suis toujours dit que la vraie, il ne me l'aurait jamais ra-
contée.

Fin de la chanson.

Scène 14 : Dîner 2

Sur un tableau ou en projection ou selon une autre idée génial, on voit : « Semaine 9. Mardi, 25 juin. Lendemain de la Fête nationale. Mal de tête. »

Tony, Pénis, Suzanne, Diane et Johanne sont en train de dîner.

PÉNIS

… des osties d'gros jos, ben durs. Sûrement pas des vrais. A' s'tortillait solide en face de nous autres. J'pense que rien qu'avec notre table, on y a donné plus de cash que c'que tu payes comme loyer, Johanne.

Les quatre répliques suivantes sont dites en même temps.

JOHANNE
J'ai pas de l'argent à perdre de même.

SUZANNE
Ben voyons donc !

TONY
Ça part vite dans ces places-là.

DIANE
Plains-toi pas de pus avoir de cash.

PÉNIS

Faque là, on rentre toutes soûls pis jackés comme des chevals… des ch'vaux… des ch'vals ou des ch'vaux ?

TONY
Les deux se disent.

SUZANNE
Ben oui.

PÉNIS

En tout cas, le lendemain mon chum m'appelle, y capote ben raide, y a l'œil gros d'même, enflé pis toute.

JOHANNE
Ouach comment ça ?

PÉNIS
Tu vas voir, attends, attends. J'amène mon chum à l'hôpital, pis ben criss y avait un morpion de pogné dans l'œil. Pendant qu'a' s'balançait la touffe au ras d'notre face, la chienne, a' nous garrochait *as is* ses osties de morpions. (*Il rit.*)

Les cinq répliques suivantes sont dites en même temps.

DIANE
N'importe quoi !

JOHANNE
C'est donc ben dégueu.

TONY
Ça arrive c'te genre d'affaires-là.

SUZANNE
On mange, là !

PÉNIS
C'est malade, han ?

Saturnin arrive, suivi de Richard. Le silence se fait. Sauf chez Pénis qui ne les a pas vus.

PÉNIS
Toi, Tony, quand tu dansais, t'as dû en vivre des affaires de même, han ? Enweye raconte-nous de quoi ! Ah oui, heille, raconte celle avec la madame qui avait une perruque, là ! Enweye.

TONY
Ta yeule, Pénis.

PÉNIS
Quoi qu'est-ce que...

Il voit Richard. Malaise.

SATURNIN
Ça l'air drôle, qu'est-ce que vous racontez ?

TONY
Qu'est-ce tu fais là, Richard?

LE GROS RICHARD
C'est Saturne, là, qui euh…

SATURNIN
Ben oui, on travaille ensemble, on dîne ensemble, c'est normal non?

TONY
T'as pas d'affaire icitte, Richard.

LE GROS RICHARD
Je le sais, Tony, je le sais.

PÉNIS
Qu'est-ce tu fais là d'abord?

JOHANNE
Ouan.

LE GROS RICHARD
C'est ça je me demande aussi.

Richard se lève pour partir.

SATURNIN
Ben non reste.

LE GROS RICHARD
Laisse faire Saturne.

SATURNIN
Mais non. (*Saturnin regarde le groupe, en particulier Suzanne.*) Il n'y a personne pour… S'il vous plaît. (*Il retient Richard.*) Reste Richard.

SUZANNE
Ben oui, pourquoi pas? Tant qu'à être là, reste donc. (*Elle regarde Tony.*) Qu'est-ce que ça change?

Les deux répliques suivantes sont dites en même temps.

JOHANNE
Ben là, Suzanne.

PÉNIS
Y peut pas rester.

SUZANNE
On le connaît Richard, depuis le temps, on peut le prendre *as is*. C'est pas comme si c'était un étranger. Assis-toi, Richard, pis mange ton sandwich avec nous autres.

Tony acquiesce de la tête. Richard s'asseoit. Malaise.

SATURNIN
Pis Pénis c'est quoi que tu racontais? Ça avait l'air drôle.

PÉNIS
Une histoire là, qui m'est arrivée. Ben non, là, qui est arrivée à un de mes chums.

SATURNIN
OK?

PÉNIS
J'avais fini de la conter *anyway*.

Silence.

DIANE
Déjà le milieu de l'été, pas trop écœuré de nous autres, Saturnin?

SATURNIN
Juste correct.

Rire léger. Les trois répliques suivantes sont dites en même temps.

DIANE
Ouan.

LE GROS RICHARD
Est bonne! Est bonne!

SUZANNE
C'est ça juste assez.

SUZANNE
Y t'en reste pas trop à attendre avant de sortir de notre trou, Pitou.

DIANE
Dis-toi que le pire est passé.

SUZANNE
Ça veut rien dire ça, Didi.

LE GROS RICHARD
On dit ça souvent.

SUZANNE
Le pire est toujours en avant.

DIANE
Ben non! Maintenant y fait partie de nous autres.

JOHANNE
Y fait partie de nous autres?

PÉNIS
Ben voyons…

DIANE
T'es pas d'accord avec ça, Johanne?

JOHANNE
Ben oui, je sais pas.

PÉNIS
Y fait pas plus partie de nous autres que Richard.

JOHANNE
Y est pas là pour tout le temps, c'pas pareil.

DIANE
Moi je trouve qu'y est dans gang.

SUZANNE
Je savais pas qu'on était rendus une gang.

DIANE
Une équipe d'abord.

JOHANNE
Une équipe de quoi?

PÉNIS, *riant*
Comme une équipe de hockey genre? Ah oui c'est bon ça! Han? Imaginez! Tony ce serait l'entraîneur, moi je...

SUZANNE, *le coupant*
Laisse faire ça, là.

Temps.

JOHANNE
Bon l'as-tu finie ta sandwich, là, Richard?

LE GROS RICHARD
J'achève.

PÉNIS
C'était une criss de bonne idée de venir la manger icitte.

DIANE
Toi tu nous fais chier chaque dîner pis on dit rien, Pénis!

JOHANNE
On est pas ben personne là, pourquoi t'es là, Richard?

LE GROS RICHARD
C'est Saturnin, là...

SUZANNE
On peut-tu manger tranquilles sans se crier après?

Les cinq répliques suivantes sont dites en même temps.

PÉNIS
On était ben, là, pourquoi on vient toute changer?

DIANE
Si on traitait pas tout le monde comme de la marde, ça
irait ben.

JOHANNE
C'est le moment où on se repose, mautadit.

LE GROS RICHARD
Je fais juste manger mon sandwich.

SUZANNE

Ça me tente pas de passer mon dîner à vous entendre
chialer.

SATURNIN

Wô ! Wô !

Les cinq répliques suivantes sont dites en même temps.

PÉNIS

Moi je vas-tu manger chez vous ?

DIANE

On est toutes dans le même sous-sol, cibole.

JOHANNE

On pourrait pas juste rester entre nous autres ?

LE GROS RICHARD

Je fais rien estie pourquoi vous capotez ?

SUZANNE

Je le savais que c'était une idée de marde.

SATURNIN

Arrêtez wô ! Vous êtes… Qu'est-ce que c'est que ça ? C'est tellement…
On est un groupe que vous le vouliez ou non. Merde ! On s'est pas
choisis, mais on est un groupe ! Comme des cellules qui font un corps !
Vous connaissez la théorie des cellules ?

Ils se regardent. Ils marmonnent faiblement. En même
temps.

DIANE

Non.

LE GROS RICHARD

Qu'est-cé ça ?

JOHANNE

Ça me dit rien.

SUZANNE

Pantoute, non.

PÉNIS
Comme dins prisons?

SATURNIN
Pendant que le fœtus est en train de se former dans le ventre de sa mère, au départ les cellules sont neutres, c'est-à-dire qu'elles sont rien et tout en même temps. Y a pas de cellules d'ongles ou de cheveux ou de poumons. Elles peuvent devenir n'importe quoi. Au départ elles contiennent en elles toutes les possibilités. C'est leur position qui va déterminer ce qu'elles vont devenir. Vous comprenez? Celles aux extrémités vont se transformer en peau, celles au centre en cœur. Leur fonction est simplement déterminée par leur position physique dans le corps. Rien d'autre! Un hasard physique tout simple. Comme dans n'importe quel groupe! C'est la même chose! Et quand une cellule devient complètement inutile pour l'organisme, elle est rejetée, elle ne sert plus à rien, elle finit par s'autodétruire. Elle se dessèche toute seule. L'organisme coupe tout contact avec elle, alors elle s'isole et finit par tomber. Comme une peau morte.

Petit temps.

PÉNIS
C'est quoi le rapport?

Les quatre répliques suivantes sont dites en même temps.

LE GROS RICHARD
Pus sûr de te suivre, mon Saturne.

JOHANNE
On peut-tu juste dîner tranquilles?

SUZANNE
Où tu veux en venir avec ça?

DIANE
Moi je trouve ça beau.

SATURNIN
C'est pas parce que Richard est en désintox que c'est un pestiféré. Si tout le monde reste enfermé dans son petit coin, il n'y a absolument rien qui va s'améliorer pour personne. Richard a fait des erreurs, OK, parfait, mais on a tous fait des erreurs, c'est ça qui nous fait évoluer. Regarde, toi, Johanne, t'as ben volé un chaudron, mais ça fait pas de toi une mauvaise personne.

DIANE

Ah oui?

SUZANNE

T'as volé un chaudron, Jojo?

JOHANNE

Han? euh… je sais pas pourquoi y dit ça.

PÉNIS

Je le savais qu'y s'était passé de quoi!

SATURNIN

Non… c'est pas… C'était juste un exemple. Excuse-moi, Johanne, j'aurais pas dû dire ça.

DIANE, *souriant*

Ah ben, Johanne!

SUZANNE

T'as volé du stock?

PÉNIS

Est bonne celle-là!

SUZANNE

Tu travailles icitte, tu le sais qu'on a pas le droit de faire ça?

JOHANNE

C'est arrivé rien qu'une fois, je le sais pas à quoi j'ai pensé.

PÉNIS

Estie! T'as l'air fine là, Johanne!

SUZANNE

Heille! T'es pas mieux que le monde en désintox, toi! T'es même pire parce que, toi, t'as pas d'excuses! Tu faisais l'innocente quand on tchéquait Diane pour pas qu'a' pique rien, mais toi pendant c'temps-là tu remplissais ta sacoche de stock?!

JOHANNE

Ben non Suzanne, j'ai jamais faite ça. C'est arrivé de même.

SUZANNE

Laisse faire! Ça m'intéresse pas d'entendre ta *bullshit* de marde!

Suzanne sort.

JOHANNE
Suzanne, pars pas de même! Écoute-moi, s'il te plaît!

PÉNIS
Voleuse.

JOHANNE
Suzanne! Suzanne!

Elle sort. Tout le monde s'en va.

Scène 15 : Plogue

Saturnin se dirige vers le bureau de Tony.

VOIX OFF DE ROSELYNE
En cas de conflit entre employés, la première chose à comprendre c'est que toutes les sources de conflits au sein d'une équipe sont relatives au Pouvoir. Je mets un P majuscule à Pouvoir, car Pouvoir est à considérer au sens large.

SATURNIN
Est-ce que je vous dérange, Tony ?

TONY
Tout le temps un tit peu. Qu'est-cé que je peux faire pour toi, mon Sat ?

SATURNIN
Eh bien… ça fait déjà quelques semaines que je travaille ici.

TONY
Right.

SATURNIN
Et euh… j'ai commencé à développer une méthode de classification qui fonctionne.

TONY
Hanhan.

SATURNIN
Étant donné que mon mandat va se terminer vers la fin de l'été, je me demandais si il serait pas pertinent d'envisager quelqu'un comme successeur.

Temps.

TONY
Qu'est-cé chus supposé comprendre là-dedans, moi ?

SATURNIN
Avez-vous pensé à quelqu'un pour me remplacer ?

TONY
Inquiète-toi pas de d'ça, c'pas ta job.

SATURNIN
Je veux pas avoir l'air d'insister, mais je sais que Pénis serait vraiment intéressé par mon poste. Quand je serai parti. Je pense que ça lui ferait un bon défi. Sa mère est d'accord, elle m'en a parlé justement. Je crois que Pénis est pas utilisé à son plein potentiel. Il serait moins désagréable et ça...

TONY, *le coupant*
Tu me niaises-tu? Si Suzanne m'avait pas achalé tous 'es jours pendant un an pour que je le prenne, y serait jamais entré icitte. Ètait écœurée de l'avoir chez elle à rien crisser pis à chialer sur toute. A' pensait s'en débarrasser en me le dompant comme on le fait avec une boîte de gogosses qui nous gossent.

SATURNIN
Vous devriez quand même évaluer cette option-là quand je serai plus là.

TONY
C'est toute évalué, mon Sat. Un Pénis ça peut pas être en charge de rien. Un Pénis ça va où tu y dis d'aller, *that's it.*

Pénis entre.

PÉNIS
Qu'est-cé? Tu m'as appelé, Tony?

TONY
Nonon, je parlais des vrais pénis. Je disais que ç'a pas ben ben de tête un pénis, han?

Ils rient.

PÉNIS
Ouan, c'est vrai ça. Est bonne, Tony!

Temps.

TONY
C'est beau tu peux décrisser là, Pénis.

PÉNIS
Ben oui, s'cuse-moi Tony. Le p'tit fucké y retourne pas travailler, lui?

TONY
C'tu de tes affaires ça?

PÉNIS, *sortant*
Ben non, s'cuse. En tout cas est bonne, Tony. Les pénis ç'a pas ben ben de tête!

SATURNIN
Sinon il y en a qui sortent des cures de désintoxication, ils se cherchent probablement une place. Comme Diane qui pourrait...

TONY, *le coupant*
Arrête de vouloir sauver le monde, OK? T'as remarqué qu'y faut pas grand-chose pour que le monde se vargent dans le dos? À nous deux on peut tenir les cordes serrées pour pas que ça lâche. Tu comprends?

SATURNIN
Ben je...

TONY, *le coupant*
Mais va pas leur dire ça y comprendraient pas. Toi pis moi on comprend la *game*.

SATURNIN
Mm mm.

TONY
Mais, tu t'sens coupable, tu t'sens responsable, c'est pour ça que t'es un leader mon Sat. Comprendre la *game*, même si ça fait chier.

SATURNIN
Je vois pas le lien avec la possibilité d'offrir l'emploi...

TONY, *le coupant*
Chez les rats, ceux qui ont l'espérance de vie la plus courte c'est les leaders. Ceux qui doivent penser à la colonie, prendre les décisions, assumer toutes les choix. Y dorment mal, y ont tout le temps peur. Peur pour les autres, peur pour leur place, peur pour la gang. Y finissent par crever d'une crise cardiaque ou bedonc d'un caillot dans tête pendant que les autres rats se bourrent la face ben relax. C'est mal faite, mais c'est de même ça marche.

Saturnin sort.

Scène 16 : Le Rat

Peu à peu, Diane, Johanne, Suzanne, Tony, Pénis et Richard apparaissent tandis que Saturnin est en train de trier. Ils sont présents comme autant de pensées et d'angoisses qui se bousculent dans la tête de Saturnin.

DIANE
Tu mets pas de gants ?

SATURNIN
Ben non.

SUZANNE
Tu ferais mieux de mettre des gants.

LE GROS RICHARD
C'est ça que j'y ai dit aussi.

SATURNIN
Pourquoi ?

SUZANNE
Fais attention, Pitou.

JOHANNE
Si tu fais pas attention, tu vas te faire mordre.

PÉNIS
Une fois mordu t'es faite, *baby boy*.

SATURNIN
Mordu par quoi ?

TONY
Je t'en ai parlé pourtant.

JOHANNE
Ça laisse des traces.

DIANE
Des traces qui partent pas.

TONY
Arrête de truster tout le monde.

PÉNIS
Le monde est pas fiable.

SUZANNE
Après ça faut essayer de vivre avec.

LE GROS RICHARD
C'est le plus *tough*.

SATURNIN
Mordu par quoi?

SUZANNE
C'est plus dangereux que tu penses ce que tu fais.

PÉNIS
Y pense qu'y peut toute faire.

DIANE
T'es pas assez prudent.

TONY
Tchèque-toi mon Sat.

SATURNIN
Mordu par quoi?

Silence.

TOUS, *murmurant*
Le rat.

SATURNIN
Y a pas de rats ici, j'en ai jamais vu un.

SUZANNE
C'pas parce qu'on voit pas de quoi que c'est pas là.

SATURNIN
Même si il y a des rats, y vont plus se sauver en nous voyant qu'essayer de nous mordre.

LE GROS RICHARD
C'pas les rats le problème, c'est LE rat.

SATURNIN
«Le» rat?

DIANE
Ouan.

TONY
Qu'est-ce tu pensais?

SUZANNE
Fais attention.

SATURNIN
Quel rat?

PÉNIS
Le seul ostie de rat qui peut te mordre.

SATURNIN
Le rat?

DIANE
Le rat.

JOHANNE
Le gros rat.

TONY
L'ostie de gros rat.

SUZANNE
Y est aussi gros qu'un petit veau.

JOHANNE
Ou qu'un gros chat.

PÉNIS
Ou qu'un chien moyen.

LE GROS RICHARD
Y en a qui disent qu'y est gris.

SUZANNE
Ou blanc.

JOHANNE
Ou noir.

TONY
Avec des yeux rouges.

DIANE
Une queue rose.

JOHANNE
Des dents jaunes.

PÉNIS
Y dort dans un des tas.

TONY
Y vit dins cochonneries.

SUZANNE
Y mange le linge.

JOHANNE
Les jouets.

DIANE
Les livres.

PÉNIS
Les autres rats.

SUZANNE
Y est là quèque part.

DIANE
Y tourne en rond.

PÉNIS
Y veut sortir.

LE GROS RICHARD
Mais y y arrive pas.

SUZANNE

Y crie.

JOHANNE

Y griffe.

DIANE

Y mord.

TONY

Y est là pis y attend.

LA CHANSON DU RAT

TOUS, *sauf Saturnin*

Le rat – le rat –
Le rat – le rat
Le raaaaaaaaat

Le rat condamné
À vivre caché
Dans un coin fermé
En train de ronger
On veut l'étouffer
On va le noyer

Pour protéger le blanc immaculé de nos pensées
De l'eau de Javel à ' grandeur pour tout désinfecter
Du papier mâché pour paqueter nos désirs embaumés

Le rat – le rat –
Le rat – le rat
Le raaaaaaaaat

Le rat – le rat –
Le rat – le rat
Le raaaaaaaaat

Le rongeur gluant
Visqueux et dément
Couvert de saleté
Les oreilles mitées
Il est enragé
Il veut se venger

Pour protéger le blanc immaculé de nos pensées
De l'eau de Javel à ' grandeur pour tout désinfecter
Du papier mâché pour paqueter nos désirs embaumés

*Le chœur continue à fredonner l'air de la chanson pendant
le récit de Richard.*

SATURNIN
Personne l'a vu ! Y doit même pas exister.

LE GROS RICHARD
Moi ! Y m'a mordu, moi. Une fois que j'tais trop soûl. Trop soûl pour
faire attention, trop soûl pour pas me retrouver au milieu du tas, en
arrière, les deux jambes dins gogosses jusqu'aux genoux. Finalement
toute m'a déboulé d'ssus, j'avais les côtes écrasées par une valise pleine
de *Reader's Digest*, le bras droit squeezé par une collection de tournevis,
pis la face pognée dans le cul d'un gros Schtroumpf. Je trippais pas
pantoute. J'arrivais presque pus à respirer, j'pouvais pus bouger rien.
Le silence autour de moi, personne de proche. Pis j'entends comme
un p'tit grattement au-dessus d'ma tête. J'pense qu'y a quelqu'un. «À
l'aide ! Au secours ! Aidez-moi quèqu'un ! » Pas de réponse, mais le grattement continue. Pis là, j'y vois le boutte du museau, avec ses grosses
dents crottées !

SATURNIN
Le rat ?

LE GROS RICHARD
Y me r'gardait avec ses yeux rouges, prêt à m'sauter dans face. J'me
protégeais avec mon bras gauche, le seul que j'pouvais encore bouger.
Pis là…

SATURNIN
Y t'a mordu ?

LE GROS RICHARD
Y m'a parlé.

SATURNIN
Han ?

LE RAT
J'existe. Même si vous voulez pas. Je fais partie de vous autres. Même si
je vous dégoûte. Vous pourrez pas m'étouffer. Même si je vous écoeure.

Donnez-moi de l'air. Laissez-moi courir. Sinon je vais vous déchirer la face *as is*. Je vais vous arracher la peau des joues *as is*. Je vais vous manger les paupières *as is*, je vais vous écorcher jusqu'au sang *as is*! Vous aurez pus rien pour vous protéger. Pire que tout nu. Un souffle d'air va vous brûler. Vous allez hurler. Vous avez beau essayer de m'écraser avec du stock, ça m'étouffera pas. J'existe. Même si vous voulez pas.

LE GROS RICHARD
Au secours, tabarnak! J'me débats comme un malade, mais je cale encore plus, j'y pitche toute ce que je peux pogner! Pis là... pis là...

SATURNIN
Y t'a mordu?

LE GROS RICHARD
J'me suis évanoui.

SATURNIN
Évanoui?

LE GROS RICHARD
Quand je me suis réveillé, je saignais de la main gauche.

Fin du fredonnement. Les chanteurs disparaissent. Sauf Suzanne.

SUZANNE
Mets des gants, Saturnin.

Elle sort.

Scène 17 : Dette

Sur un tableau ou en projection ou selon une autre idée
géniale, on voit : «Semaine 10. Mardi, 2 juillet. Après la
fête du Can… Déménagement.»

À la table des trieuses, Johanne, Diane et Suzanne
travaillent. Saturnin s'avance.

SUZANNE
Passe-moi donc un autre sac *as is,* Diane.

DIANE
Johanne passerais-tu un sac *as is* à …

SUZANNE, *la coupant*
Je te l'ai demandé à toi, Didi.

DIANE
Passe-moi donc un sac, Johanne. Tins, Suzanne.

SUZANNE
Merci.

Malaise. Diane voit Saturnin.

DIANE
Heille Sat, tu vas-tu partir le compacteur?

SATURNIN
Pas tout de suite. Non. Je… Suzanne, je voulais que tu saches que j'ai
parlé à Tony.

SUZANNE
OK?

SATURNIN
J'ai essayé pour Pénis, mais Tony veut pas…

SUZANNE, *la coupant*
C'correct, Pitou. J'm'en doutais *anyway.* Toute ça c'était une idée de
marde.

SATURNIN

Mais euh… je viens d'apporter une boîte de boutons de manchettes à madame Mac Gallivray et elle…

DIANE, *le coupant*

Qui c'est ça?

SUZANNE

La vieille Anglo qui s'occupe des bijoux.

JOHANNE

Celle qui sent la boule à mites.

DIANE

Les vieux ça sent toujours la boule à mites, *anyway*!

JOHANNE, *riant*

Ouan! (*Se reprenant.*) Mais pas toi Suzanne. Je disais pas ça pour toi.

SUZANNE

Je pensais pas à moi non plus.

JOHANNE

Ah… ben… Tant mieux. Parce que je voulais pas…

SUZANNE, *la coupant*

Toi t'as pensé à moi par exemple.

JOHANNE

Non non, je voulais juste être sûre que… ben…

Malaise.

SATURNIN

Elle va bientôt prendre sa retraite.

Les trois répliques suivantes sont dites en même temps.

SUZANNE

Ah oui?

JOHANNE

Qui ça?

DIANE

La vieille?

SUZANNE
Y doivent chercher du monde pour la remplacer?

SATURNIN
Elle voulait me référer, justement.

Les trois répliques suivantes sont dites en même temps.

SUZANNE
Ah bon...

DIANE
C'est sûr.

JOHANNE
Encore?

SATURNIN
Étant donné que je pars à la fin de l'été, je lui ai dit que ça m'intéressait pas.

Les trois répliques suivantes sont dites en même temps.

SUZANNE
Tu y as dit ça?

DIANE
Ben oui.

JOHANNE
C'est vrai ça, c'est vrai.

SUZANNE
C'est une belle job, en tout cas.

SATURNIN
Je lui ai parlé de Pénis.

Les trois répliques suivantes sont dites en même temps.

JOHANNE
Pour la job?

DIANE
Pourquoi faire?

SUZANNE
Ah ouan?

SATURNIN
Ça pourrait y faire du bien de travailler là.

SUZANNE
Ben oui. Ben oui.

SATURNIN
C'est pas fait, mais elle n'était pas totalement fermée à l'idée.

SUZANNE
Tant mieux.

DIANE
Ouan.

JOHANNE
Wow.

SUZANNE
C'est pas rien.

DIANE
Non.

JOHANNE
Sur l'étage pis toute.

SUZANNE
Y a même une fenêtre.

DIANE
Shit.

JOHANNE
Ouan.

DIANE
Avec un spot à toi.

SUZANNE
Juste à toi.

JOHANNE
Ouan.

DIANE

Shit.

SUZANNE

Mm.

JOHANNE

Ouan.

DIANE

Wow.

LA CHANSON DE L'ESPOIR

SUZANNE
Trente-sept ans que je trie du vieux stock

DIANE et JOHANNE
J'sais pas si j'aime ça

SUZANNE
Trente-sept ans que j'passe dans l'même bloc

DIANE et JOHANNE
J'sais pas si j'le ref'rais

SUZANNE
Trente-sept ans qui m'font pleine de poques

DIANE et JOHANNE
J'sais pas c'que j'fais là

SUZANNE
Les années qui se suivent et se mélangent
Un ange qui passe lentement dans le silence
C'est ben étrange quand y a pus rien qui change
Faut toujours suivre la même cadence

Si seulement je pouvais…

LES TROIS
Travailler en haut – gagner à ' loto – partir à zéro –
Pour changer d'air
M'en aller au chaud – gagner au bingo – partir au Congo
Ben loin d'l'hiver
Faire de quoi d'nouveau – gagner une auto – partir à vélo
Se crisser d'hier

SUZANNE

Trente-sept ans que je trie du vieux stock

DIANE et JOHANNE

J'sais pas si j'aime ça

SUZANNE

Trente-sept ans que j'passe dans l'même bloc

DIANE et JOHANNE

J'sais pas si j'le ref'rais

SUZANNE

Trente-sept ans qui m'font pleine de poques

DIANE et JOHANNE

J'sais pas c'que j'fais là

SUZANNE

À mon âge on change pus on débarasse
Je l'ai pas vu, mais mon tour est passé
On m'pousse dans l'cul pour que j'libère la place
Je pensais être au début mais on m'a dépassée

Si seulement je pouvais...

LES TROIS

Travailler en haut – gagner à ' loto – partir à zéro –
Pour changer d'air
M'en aller au chaud – gagner au bingo – partir au Congo
Ben loin d'l'hiver
Faire de quoi d'nouveau – gagner une auto – partir à vélo
Se crisser d'hier

Fin de la chanson.

DIANE

Y en a qui sont chanceux.

JOHANNE

Moi aussi j'aimerais avoir une job de même, Saturnin. Si jamais Pénis...

SUZANNE, *la coupant*

Y donneront jamais une job dins bijoux à une voleuse.

JOHANNE
C'est arrivé rien qu'une fois…

SUZANNE, *la coupant*
Une fois c't'assez pour être rien qu'une maudite voleuse.

JOHANNE
Chus pas une…

SUZANNE, *la coupant, à Diane*
Diane, m'as aller placer du linge sur les racks en haut, si y en a qui me cherchent.

DIANE
C'est beau.

Suzanne sort. Johanne retient ses larmes.

JOHANNE
M'as aller aux toilettes, s'cusez.

Johanne sort.

Scène 18 : *Move*

Diane est seule à trier.

DIANE

C'pas d'avoir volé qui la gosse, c'est qu'on le sache. Voleuse c'est pas pire que la Junkie. Ou se faire appeler Pénis. Bienvenue dans le club, Johanne! On se fait scotcher un *nickname* pis ça décide à notre place ce qu'on est.

SATURNIN

Moi je te vois pas comme une junkie, Diane.

DIANE

Je te crois pas.

SATURNIN

De toute façon, il n'y a rien que je pourrais faire pour que tu me croies.

Elle le regarde.

DIANE

Frenche-moi.

SATURNIN

Quoi?

DIANE

Montre-moi que ça t'écœure pas que j'aye faite des *blow-jobs* dans des toilettes collantes de centre d'achats.

SATURNIN

Ben là, c'est pas…

DIANE, *le coupant*

C'est pas possible! C'est ça que je dis. Une junkie, un intellectuel, on est pas classés dans le même tiroir. Je me demande même si on est dans le même immeuble. Y a aucune chance qu'on se rejoigne quèque part.

SATURNIN

Si je t'embrasse, ça va rien prouver.

DIANE

Ça va prouver qu'on s'en sacre nous autres des osties d'étiquettes. Qu'on s'en câlice de pas être sur la même planète, han Saturne?

SATURNIN

Ça va être bizarre.

DIANE

Je te demande pas de me marier, je parle juste de frencher. T'es pas tanné de toute contrôler, de toute analyser tout le temps?

SATURNIN

Je vois pas en quoi t'embrasser va…

DIANE, *le coupant*

C'que tu fais, c'est-tu toi qui le décides? Ou ben c'est ce que le monde pense qu'un gars comme toi devrait faire?

SATURNIN

Mais c'est intime de s'embrasser.

DIANE

C'est rien qu'un french, *fuck*!

SATURNIN

Je sais pas…

DIANE, *elle rit*

Arrête de capoter! J'te testais, j'ai pas envie de te frencher! Je voulais juste voir comment tu réagirais.

SATURNIN, *perdu*

Ah? OK.

DIANE

Je t'ai fait peur, han? T'aurais dû te voir la face.

SATURNIN

Oui tu m'as eu.

DIANE

Ça aussi c'était rien qu'un ostie de cliché, la Junkie qui te parle de la frencher! On est pognés avec nos…

Subitement Saturnin l'embrasse.

SATURNIN
Merci.

Saturnin part.

Scène 19 : Trop de stock

Sur un tableau ou en projection ou selon une autre idée géniale, on voit: «La même semaine. Deux jours plus tard. Jeudi, 4 juillet.»

Tony entre suivit de Pénis qui amène un panier plein de vaisselle.

VOIX OFF DE ROSELYNE
Jouer un rôle actif dans sa carrière, accroître le niveau de ses responsabilités et s'épanouir dans son travail sont au cœur des préoccupations de tous. On considère que l'individu est motivé par trois types de besoins : le sentiment d'être compétent, l'appartenance sociale et l'autonomie.

TONY
Heille, mon Sat, c'est quoi ce panier-là?

SATURNIN
C'est de la vaisselle pour aller en haut.

PÉNIS, *chuchotant*
T'as vu, s'tie? C'est tout le temps d'même.

TONY
De la vaisselle, OK, OK.

SATURNIN
C'est quoi le problème?

PÉNIS
Y sait pas c'est quoi le problème, le p'tit cave.

SATURNIN
Qu'est-ce qui se passe?

TONY
C'est ça j'me d'mande mon Sat, c'est ça j'me d'mande. D'la vaisselle, OK. T'as vu en haut qu'y en avait en tabarnak d'la vaisselle, han?

PÉNIS
Y en a *full*!

SATURNIN
Je monte pas souvent. Je savais pas qu...

TONY, *le coupant*
Faque quand y voyent Pénis arriver avec ses paniers de vaisselle *as is*, y commencent à pus savoir où la crisser.

SATURNIN
Je peux faire un panier de toutous à la place.

PÉNIS
Regarde-lé avec ses toutous.

TONY
Non non non non non. Arrête de faire des paniers pour erien, y en a pus de place. Pus dans l'électrique, pus dins toutous, pus dans vaisselle, pus rien!!! Pénis y fournit pas.

PÉNIS
C'pas moi là qui fournit pas. C'est le tit pit qui...

TONY, *le coupant*
En haut, y se d'mandent comment ça s'fait qu'on a autant de stock tout d'un coup!

PÉNIS
Y comprennent pas.

SATURNIN
Je pensais que je devais faire plus de paniers.

TONY
Qui, qui t'a demandé ça?

SATURNIN, *pointant Pénis*
Ben c'est...

PÉNIS, *le coupant*
Tu le vois ben qu'y nous *bullshit* Tony.

TONY
Les bruns ont jamais vu ça! C'est comme si on recevait trop de stock pour notre capacité. Ça chie, là, comprends-tu?

PÉNIS
Ça chie solide.

SATURNIN
On peut attendre un peu avant de monter le stock?

TONY
On a besoin des paniers!

PÉNIS
On en a pas de trop.

TONY
Pis y peuvent pas niaiser icitte, y sont dins jambes, on a pus de place pour passer, l'ascenseur est jammé à cause de tes osties de paniers.

PÉNIS
C'est toute jammé.

SATURNIN
On peut le remettre dans le tas?

PÉNIS
Le remettre dans le tas!

TONY
Les bruns sont ben contents de voir que l'tas diminue. Si on a du nouveau stock qui rentre *non stop* c'est parce qu'on a l'ai d'en manquer, y m'semble que c'est assez évident!

PÉNIS
C'est facile à comprendre me semble!

TONY
La p'tite madame qui s'est enfin décidée à paqueter son char à ras bord de stock qui niaise dans sa cave depuis un boutte pis qui a pris son courage à deux mains pour venir icitte, me vois-tu y dire d'aller ailleurs?

PÉNIS
Le vois-tu?

TONY
A' reviendra pus jamais!

PÉNIS
A' reviendra pus la madame!

TONY
C'pas bon toute ça, mon Sat.

PÉNIS
C'pas bon.

TONY
T'imagines-tu si les pays d'Afrique nous disaient qu'y recoivent trop
de bouffe...

PÉNIS
T'imagines?

TONY
On arrêterait d'en envoyer drette-là.

PÉNIS
Drette-là!

TONY
Pis on les croirait pus quand y en auraient de besoin.

PÉNIS
Pus pantoute.

TONY
Faque là...

PÉNIS
Faque là!

Petit temps.

TONY
Ta fermes-tu ta yeule Pénis oubedonc t'attends que je t'a pète en deux?

PÉNIS
S'cuse-moi.

TONY
Y faut que tu jettes plus de stock, mon Sat!

SATURNIN
Je jette déjà tout ce qui est pus bon.

TONY
Ben jette aussi c'qui a en double, c'qui est vieux, c'qui pue, c'qui te gosse, j'm'en sacre !

SATURNIN
Une fois que j'ai fait ça, je fais quoi ?

TONY
Je l'sais-tu moi ? ! Peigne un ourson, range les livres par nombre de pages, compte des pitounes de Battleship, mais arrête de toute nous crisser ces paniers-là dins jambes. Gère ton stock comme tu veux, c'est toi le boss du tas, mais gère-lé, cibole !

Tony sort.

PÉNIS
Ouan, gère-lé, cibole !

Pénis sort.

Scène 20 : C'est moi le boss

Sur un tableau ou en projection ou selon une autre idée géniale, on voit : « Le lendemain. Vendredi, 5 juillet. »

Saturnin va rejoindre Johanne.

SATURNIN
Johanne, je voulais te…

JOHANNE, *le coupant*
S'cuse-moi Sat, j'ai pas le temps, là.

SATURNIN
Ce sera pas long.

JOHANNE
Suzanne va chialer.

SATURNIN, *lui tendant l'argent*
Je veux te remettre ton argent. T'as pas à me payer.

JOHANNE
On en parle pus de toute ça OK ? Je veux pus entendre parler de d'ça.

Elle va pour s'enfuir. Saturnin sort d'un panier une batterie de chaudrons neufs.

SATURNIN
J'ai trouvé ça pour toi !

JOHANNE
Pour moi ?

SATURNIN
T'avais pas besoin de chaudrons ?

JOHANNE, *s'approchant lentement*
On dirait qu'y sont neufs !

SATURNIN

Ils ont juste été déballés. Probablement un autre cadeau de Noël qui servait à rien.

JOHANNE

Tu me diras quand t'es enverras en haut.

SATURNIN

Je te les donne.

JOHANNE

Je vas attendre qu'ils soient en haut.

SATURNIN

Ils iront pas en haut.

JOHANNE

Pourquoi?

SATURNIN

Il n'y a pus de place nulle part en haut pis y faut que je continue à vider le tas.

JOHANNE

C'est sûr que si t'étais pour les j'ter.

SATURNIN

Tu peux les prendre, Johanne.

JOHANNE

C'est comme si je les prenais dins vidanges.

SATURNIN

Je les aurais jetés.

JOHANNE

T'es fin!

Johanne sort.

Sur un tableau ou en projection ou selon une autre idée géniale, on voit: «Lundi, 8 juillet».

Pénis passe, fébrile.

PÉNIS, *tenant une carte de hockey*
Heille, c'est toi qui viens de mettre ça dans l'*as is*?

SATURNIN
C'est quoi?

PÉNIS
Lemieux! Mario Lemieux, *shit*! Dans la collection des cartes de *bubble gum*! *Shit* de marde! Je pourrais même pas l'acheter. Quand le criss de Bob va la voir, y la placera pas sur l'étage, *shit*, y va sauter d'ssus pis l'acheter tu-suite. J'la r'verrai pus. *Shit* de marde. De marde de *shit*! Ça va me faire brailler, *shit*!

SATURNIN
Prends-la.

PÉNIS
Han?

SATURNIN
Prends-la.

PÉNIS
Tu veux dire, la prendre de même?

SATURNIN
Ben oui.

PÉNIS
On n'a pas l'droit de faire ça.

SATURNIN
Si tu la veux, tu la prends.

PÉNIS
Pourquoi tu ferais ça?

SATURNIN
Pourquoi je le ferais pas?

PÉNIS
Moi je le ferais pas.

SATURNIN, *prenant la carte et la déposant un peu plus loin*
Ça se pourrait que je l'aie pas trouvée, cette carte-là. Ça se pourrait même qu'elle n'ait jamais été dans mon tas. Il n'y a personne qui connaît le stock qui arrive ici. Juste moi.

Il se détourne et continue à fouiller dans le tas. Pénis hésite, prend la carte et s'en va.

Sur un tableau ou en projection ou selon une autre idée géniale, on voit : « Mardi, 9 juillet ».

Entre Suzanne.

SUZANNE
Y paraît que tu donnes du stock astheure?

SATURNIN
Mais non.

SUZANNE
Si tu te fais pogner tu vas perdre ta job.

SATURNIN
Je vais m'en aller à la fin de l'été.

SUZANNE
Faque autant en profiter, c'est ça?

SATURNIN
Les gens donnent du stock ici, on vole personne. Prends-le comme un bonus. C'est pas comme si votre salaire était faramineux.

SUZANNE
C'est pas comme ça que ça marche.

SATURNIN
Pour l'instant c'est moi qui décide comment ça marche.

SUZANNE
Tu sais pas dans quoi tu t'embarques, Saturnin.

SATURNIN
Peut-être. Mais c'est moi qui s'embarque tout seul. Qu'est-ce que tu voudrais que je fasse?

Temps. Ils se jaugent.

SUZANNE
As-tu des DVD?

SATURNIN
J'en ai plein.

SUZANNE
Des séries télé?

SATURNIN
Oui, madame!

SATURNIN
Je peux faire ce que je veux. Je te les donne.

LA CHANSON DES OBJETS

*Johanne, Suzanne, Diane, Pénis et Richard vont passer
prendre des objets en les nommant.*

*Pendant la chanson, sur un tableau ou en projection ou
selon une autre idée géniale, les jours défilent:* «Mercredi,
10 juillet. Jeudi, 11 juillet. Vendredi, 12 juillet. Lundi.
Jeudi. Mardi. Lundi. Mercredi. Vendredi. Jeudi!!!!!!!!
!!!!!!!!!!!!!!!!!!!!!!!!!!!!!!»

SATURNIN
C'est tout un tas de vieux stock

DIANE et SUZANNE
Un bonnet de douche en paillettes

LE GROS RICHARD et JOHANNE
Le livre des meilleures jokes de pet

SATURNIN
Prenez-le. Prenez-le!

SUZANNE et PÉNIS
Des gros ustensiles faits en bois!

JOHANNE et DIANE
Un tapis en poil angora!

SATURNIN
Y est à toi. Y est à toi!

SUZANNE et LE GROS RICHARD
Un protège-boîte de Kleenex

PÉNIS et DIANE
Une tasse en forme de paire de fesses

SATURNIN
J'm'en fous. J'm'en fous !

JOHANNE et SUZANNE
Un globe terrestre qui s'allume

LE GROS RICHARD et PÉNIS
Un bibelot de cochon qui fume

SATURNIN
Profites-en. Profites-en !

JOHANNE et DIANE
Un puzzle de montagnes en neige

LE GROS RICHARD et PÉNIS
Un puzzle de bouchons d'liège

DIANE et SUZANNE
Un puzzle d'un lac quelque part

PÉNIS et JOHANNE
Un puzzle avec plein de chars

SATURNIN
J'vous l'donne. J'vous l'donne !

SUZANNE et LE GROS RICHARD
Un casque antiultraviolets

DIANE et JOHANNE
Une paire de protège-mollets !

LE GROS RICHARD et SUZANNE
Des boules de Noël érotiques !

PÉNIS et DIANE
Une flûte de Pan en plastique !

SATURNIN
J'fais c'que j'veux. J'fais c'que j'veux !

JOHANNE, SUZANNE et PÉNIS
Un épluche-tomates !

DIANE, SUZANNE et LE GROS RICHARD
Une fausse patate !

PÉNIS, JOHANNE et DIANE
Un demi-dentier !

SUZANNE, DIANE et LE GROS RICHARD
Un vieux cendrier !

SATURNIN
C'est mon tas !

LE GROS RICHARD, JOHANNE, PÉNIS et DIANE
Des sous-verres comiques !

JOHANNE, SUZANNE, PÉNIS et DIANE
Un pot en terre cuite !

SATURNIN
Ma montagne !

DIANE, SUZANNE, JOHANNE, PÉNIS
et LE GROS RICHARD
Un porte-savon !

SATURNIN
Mon royaume !

PÉNIS, SUZANNE, JOHANNE, DIANE
et LE GROS RICHARD
Un plat à bonbons !

SATURNIN
À moiiiiii !

Saturnin se laisse tomber dans le tas comme dans un trône.

Scène 21 : *Stool*

Sur un tableau ou en projection ou selon une autre idée géniale, on voit: «Semaine 12. Lundi, 15 juillet. Juste pour rire. Sans commentaire.»

Tony entre en tenant dans ses mains la carte de hockey que Pénis a pris. Pendant la scène, Pénis va entrer en catimini et observer ce qui se passe.

TONY
T'es-tu en train de me niaiser, toi là?

SATURNIN
Quoi?

TONY
Tu donnes du stock comme si c'était à toi?

SATURNIN
Ben pas comme si...

TONY, *le coupant*
T'as donné c'te carte de hockey là!

SATURNIN
De toute façon on a trop de stock, Tony. C'est ça que...

TONY, *le coupant*
Tabarnak! Sat, tu joues à un jeu *fucking* dangereux. Tu m'arrêtes ça tu suite, c'est clair?

SATURNIN
Qu'est-ce que ça change, Tony? Les gens viennent donner leurs vieilles affaires, c'est pas comme si...

TONY, *le coupant*
C'est de même que ça roule icitte.

SATURNIN
Tu veux que je me débarrasse du stock de toute façon. Tant mieux si les employés peuvent en profiter le temps qu'ils sont là.

TONY

Oblige-moi pas à aller voir les bruns pis toute leur raconter ça *as is*. C'est pas parce que tu t'en vas dans une couple de semaines que t'es protégé. Ce que tu fais c'est du vol de biens de l'entreprise! Tu pourrais avoir BEN du trouble! On se comprend?

SATURNIN

On se comprend, Tony. Si on va voir les bruns, on sera pas dans une bonne position. On va être obligés de leur parler de Johanne qui vole, du chantage que t'as fait avec elle.

TONY

De quoi?

SATURNIN

En plus, c'est sûrement pas la première fois.

TONY

Toi aussi t'as pris son cash.

SATURNIN

On est pas dans une bonne position, Tony. Moi qui est ici depuis deux mois pis toi qui es là depuis quoi? Quinze ans? Vingt ans? Ce sera pas drôle ce qui va nous arriver. Moi je vais retourner à l'université, pitoyable, et toi Tony…? Qu'est-ce qui va t'arriver à toi? Tu vas pas retourner au 281 quand même, han?

> *Tony va pour répondre. Ne sait pas quoi dire. Hésite. Et vient pour partir.*

PÉNIS

Tony, t'as encore ma carte de hockey. Tu…

> *Tony déchire la carte et sort.*

Scène 22 : Mal tomber

Sur un tableau ou en projection ou selon une autre idée géniale, on voit: «Semaine 13. Lundi, 22 juillet. Vacances de la construction. Bronzages et piqûres de maringouins.»

Saturnin a installé une petite radio qui joue de la musique entraînante (genre vieux jazz qui swingue). Saturnin siffle, danse un peu tout en travaillant. Richard le regarde du coin de l'œil.

LE GROS RICHARD
T'es donc ben heureux d'être content, Saturne.

SATURNIN
Ça doit être le soleil.

LE GROS RICHARD
Où c'est que tu vois du soleil icitte?

SATURNIN
Y en a partout, Richard.

LE GROS RICHARD
Hé boy… Qu'est-cé tu gosses?

SATURNIN
Je réorganise le tas. J'ai créé une section d'attente pour le stock encore bon mais qu'on envoie pas en haut parce qu'il manque de place.

LE GROS RICHARD
Si y a trop de nouveau stock qui rentre tu vas être obligé de toute crisser dans le compacteur *anyway*.

SATURNIN
Je pourrais l'envoyer dans une autre succursale. Il paraît que celle qui est dans l'Ouest manque de stock.

LE GROS RICHARD
On fait pas ça d'habitude.

SATURNIN

C'est pour ça qu'il faut le faire! On est tellement habitués à nos habitudes qu'on les suit comme si elles étaient des règles immuables ou même notre destin!

LE GROS RICHARD

Tony y est d'accord avec ça, d'envoyer du stock à la succursales de l'Ouest?

SATURNIN

C'est moi le trieur de cossins, pas lui.

LE GROS RICHARD, *buvant de sa flasque*

I drink to that!

SATURNIN

Y a Pénis qui arrive!

LE GROS RICHARD

Quoi?

SATURNIN

Chut! chut! Cache-toi, ça me tente pas de me pogner avec lui aujourd'hui!

LE GROS RICHARD

C'est donc ben niaiseux ton affaire.

SATURNIN

Chut! Enweye!

Ils se cachent. Pénis et Diane entrent.

PÉNIS

T'es pas venue hier?

DIANE

Ça m'tentait pus.

PÉNIS

Je pensais que tu viendrais.

DIANE

J'y vas pas tout le temps.

PÉNIS
J't'ai attendue comme un cave.

DIANE
T'aurais pas dû.

PÉNIS
Je l'ai faite pareil.

DIANE
Tant pis pour toi.

PÉNIS
Tant pis pour moi.

DIANE
Ouan.

PÉNIS
On aurait eu du fun si t'étais venue.

DIANE
Ça me rend *down*.

PÉNIS
Moi 'ssi.

DIANE
Toi t'es tout le temps *down*.

PÉNIS
Pas tant.

DIANE
À soir m'as peut-être être là.

PÉNIS
Pas moi.

DIANE
Tant pis pour toi.

PÉNIS
Comme tout le temps.

DIANE
Arrête de pleurer, pôv' tit pit. (*Elle lui caresse le visage.*) Tu fais pas pitié, tu vas avoir une nouvelle job.

PÉNIS
La job de madame Mac Gallivray c'est pas...

DIANE, *le coupant*
Arrête de chialer, c't'une belle job.

PÉNIS
Ouan... Pis toi?

DIANE
J'aimerais ben avoir la job à Sat.

PÉNIS
On travaillerait presque ensemble.

DIANE
C'est ça tu voudrais?

PÉNIS
Peut-être ben.

DIANE
Ça serait drôle.

PÉNIS
Tu me frenches-tu?

DIANE
J'sais pas.

PÉNIS
Enweye donc!

DIANE
On le sait que ça mène à rien.

PÉNIS
Pour fêter nos nouvelles jobs!

DIANE
Ouan...

PÉNIS
Juste de même.

Il la prend. Mouvement dans le tas.

PÉNIS
Criss c'était quoi ça?

DIANE
De quoi?

PÉNIS
Là y a un rat!

DIANE, *s'éloignant rapidement*
Estie!

Pénis prend un bâton de baseball.

PÉNIS
Y est où?

DIANE
Ça a bougé, là!

PÉNIS
M'as l'avoir!

DIANE
Là! là!

Pénis se met à fesser comme un malade. Saturnin et Richard crient!
Les deux répliques suivantes sont dites en même temps.

SATURNIN
Arrêtez! Stop!

LE GROS RICHARD
Wô! C'est nous autres! Wô!

DIANE
Qu'est-ce tu fais là?

PÉNIS
Vous étiez en train de vous tripoter?

SATURNIN
On cherchait du stock.

Pénis rit. Diane fige.

PÉNIS
Vous m'avez faite peur, *shit*!

LE GROS RICHARD
Toi avec Pénis, tu m'as fait peur.

SATURNIN
Ça va, moi j'ai rien, toi Richard?

DIANE, *à Saturnin*
Ça fait longtemps que t'es là?

SATURNIN
Ben... je suis tout le temps là.

Petit temps.

DIANE
J'm'en fous, moi, de Pénis! On fourrait *as is* de même... pour erien.
Juste pour fourrer parce qu'on avait rien de mieux à faire. On aime
même pas ça.

SATURNIN
Ça me regarde pas Diane.

PÉNIS
Pourquoi tu y dis ça?

DIANE
On a commencé à fourrer ensemble parce qu'on était tu seuls, c'est
toute, on voulait juste pas être tu seuls. Pis on a continué parce qu'on
avait rien de mieux à faire.

SATURNIN
Vous faites ce que vous voulez.

DIANE, *tapant Pénis*
On s'en câlisse l'un de l'autre. Dis-y qu'on s'aime pas!

SATURNIN
Ça me dérange pas, Diane.

DIANE
Enweye!

PÉNIS
On s'aime pas.

DIANE
Y est encore en amour avec sa niaiseuse de blonde. Alle l'a crissé là depuis un boutte. Même pas pour quelqu'un d'autre. Juste parce qu'alle en pouvait pus de lui, faqu'alle l'a crissé là!

PÉNIS
Dis pas ça...

DIANE, *le coupant*
Mais lui y décroche pas! Y va sur les sites de rencontres où a' va pis y se donne une fausse identité pour pouvoir y parler.

PÉNIS
Diane, *fuck*...

DIANE, *le coupant*
Ça l'a cassé en mille morceaux, son affaire. Y est pas amoureux de moi. On fait juste fourrer! (*Elle tape Pénis.*) C'est de la marde toute ça! C'est toute! Pour se donner l'impression qu'on est pas toute pètés estie, c'est toute! Je faisais ça presque par pitié, *as is*, sans y penser. Tu me crois pas?

SATURNIN
Je vous juge pas, Diane. Vous faites ce que vous voulez.

DIANE
C'est ça, toi tu juges personne! Monsieur Parfait qui est là ben propre pis qu'y aime donc tout le monde! Câlice de criss de conne! On fourrait pas! C'était juste de la marde toute ça, juste de l'ostie de grosse marde!

SATURNIN
Ça va, Diane. C'est pas grave. Je m'en fous. Quand on s'est embrassés, je pensais pas que ça voulait dire quelque chose. Tu me dois rien. J'ai accordé aucune importance à ça.

DIANE, *blessée*
OK... Bon ben tant mieux d'abord. (*Elle va pour sortir et fonce dans Pénis.*) Tasse-toi estie de Pénis à marde!

Elle sort. Temps. La poussière retombe. Les deux gars se regardent. Musique.

LA CHANSON DE PÉNIS

PÉNIS, *sans trop d'énergie*
Moi on m'appelle Pénis, c'est Tony qui a trouvé ça. Y est drôle en maudit notre Tony. Je pense que c'est parce que je travaille dur. Ou ben parce que j'aime ça moi les… pogos…

Il s'arrête, la musique continue un peu.

PÉNIS
Fuck off.

Il sort.

Scène 23 : Employé du mois – Dîner 3

Sur un tableau ou en projection ou une autre autre idée géniale, on voit : «Semaine 16. Lundi, 12 août. Les Perséides. Faites un vœu.»

Johanne est assise en train de manger son sandwich. Elle essuie ses larmes. Saturnin arrive avec son lunch.

VOIX OFF DE ROSELYNE
La valorisation au travail est l'un des éléments clés d'une entreprise en santé. Cette valorisation peut prendre la forme d'un compliment chaudement fait par l'employeur ou d'autres formes moins subtiles mais qui créent l'envie des autres employés et installent une saine compétition qui fouettera leur motivation.

SATURNIN
Tu manges toute seule? Ils sont où les autres?

JOHANNE
J'sais pas. Suzanne veut être où chus pas. Je devrais m'en aller d'icitte, mais c'est pas si facile que ça se trouver une job. Pis y m'en faut une job, j'ai pas le choix.

SATURNIN
Tu pourrais demander aux bruns de te trouver un autre poste.

JOHANNE
Les bruns y écoutent mais y font jamais rien. Autant parler dans le vide. La job de madame Mac Gallivray, tu pourrais-tu me ploguer?

SATURNIN
J'ai déjà promis de…

JOHANNE, *le coupant*
Pénis y a pas rapport là! Même lui y veut pas y aller. C'est sûr que ça marchera pas pis y vont finir par aller chercher quelqu'un ailleurs.

SATURNIN
Peut-être, mais…

JOHANNE, *le coupant*
Je te dis pas de pas tenir ta promesse pour Pénis, mais donne mon nom à moi aussi. Tu la laisseras choisir. Han? Tu pourrais faire ça, Sat? Ça te coûterait rien.

SATURNIN
Pourquoi pas…

JOHANNE
T'es *swell*!

> *Richard entre complètement survolté. Il a une plaque dans les mains.*

LE GROS RICHARD
Ah ben! Ah ben! Venez voir ça! Où c'est qu'y sont tout le monde? C'est un miracle!

JOHANNE
Qu'est-ce qu'y s'passe?

LE GROS RICHARD
Venez icitte! La gang où c'est que vous êtes? Ah ah!

> *Suzanne, Pénis, Diane et Tony entrent tranquillement.*

SUZANNE
Qu'est-cé que t'as à crier comme un perdu?

LE GROS RICHARD
Tu vas voir, tu vas voir, Susu!

JOHANNE
Non mais qu'est-cé qui s'passe?

LE GROS RICHARD
Vous allez pas me croire.

JOHANNE
De qu'est-cé donc?

LE GROS RICHARD
Venez-vous-en! Sortez de votre trou!

TONY
On est là, Richard, *shoot.*

LE GROS RICHARD
C'est pas cro-ya-ble !

SUZANNE
Moi pis le suspense on est pas les meilleurs amis du monde.

LE GROS RICHARD
Laisse-moi juste savourer une seconde... vous êtes là... vous m'écoutez comme si j'étais le messie !

SUZANNE
Moi j'm'en vas.

LE GROS RICHARD
OK OK OK ! (*Il montre une plaque avec mention.*) Saturnin vient d'être nommé employé du mois de juillet !

TOUS
Woah...

Les quatre répliques suivantes sont dites en même temps.

PÉNIS
Ben voyons donc !

JOHANNE
Heille ! Non mais heille ! Heille !

SUZANNE
Employé du mois ?

DIANE
Pour vrai ?

SATURNIN
Qu'est-ce que ça veut dire ?

LE GROS RICHARD
Ça veut dire c'que ça dit. C'est toi l'employé du mois de juillet !

SUZANNE
Bravo, Saturnin.

Les trois répliques suivantes sont dites en même temps.

JOHANNE
Ben oui, heille! Ça c'est wow, han?

PÉNIS
Ben oui ben oui, bravo bravo!

DIANE
C'est très *hot*!

LE GROS RICHARD
Si j'me trompe pas, c'est la première fois!

PÉNIS
Pas sûr de d'ça moi.

JOHANNE
En plus?

SATURNIN
La première fois de quoi?

DIANE
Que c'est un de nous autres.

LE GROS RICHARD
T'es le premier employé du mois du sous-sol, Saturnin!

PÉNIS
Ça compte-tu?

LE GROS RICHARD
Ben oui ça compte!

DIANE
Y faut, sinon on l'aura jamais.

JOHANNE
J'sais pas.

PÉNIS
Ouan mais c'pas comme si....

LE GROS RICHARD, *le coupant*
Comme si quoi?

PÉNIS
Comme si c'était un de nous autres.

DIANE
Y travaille dans le sous-sol, *as is*, comme nous autres.

JOHANNE
Oui, mais y est pas là pour tout le temps.

LE GROS RICHARD
Moi non plus tant qu'à ça.

PÉNIS
Tu comptes pas non plus !

LE GROS RICHARD
Ah non ?!

JOHANNE
T'es t'en désintox, toi.

LE GROS RICHARD
Moi je compte pas !?

PÉNIS
Ben non !

DIANE, *à Johanne*
Sat y est pas en désintox !

LE GROS RICHARD, *à Pénis*
Toi non plus d'abord !

JOHANNE, *à Diane*
Mais y est pas là pour tout le temps !

PÉNIS, *au Gros Richard*
T'as pas rapport !

DIANE, *à Johanne*
Qui qui décide que ça marche de même ?

Les quatre répliques suivantes sont dites en même temps.

LE GROS RICHARD
Faque môssieur sait comment ça marche, lui ?!

JOHANNE
Personne mais ça marche de même!

PÉNIS
Plus que toi en tout cas!

DIANE
C'est juste de la grosse marde ton affaire!

SATURNIN
Wô! Wô! Arrêtez! Arrêtez!!! C'est pas grave, là, c'est pas important.

LE GROS RICHARD, *offusqué*
Oh! Tu peux pas dire ça, Saturne. C't'important.

SATURNIN
Pas tant que ça.

LE GROS RICHARD
Ben oui! Pour moi c't'important! (*Pointant le cadre.*) C't'important que ça compte, ça!

DIANE
Toi Suzanne, penses-tu que ça compte?

PÉNIS
Y en as-tu eu d'autres qui l'ont eue dans le sous-sol?

SUZANNE
Personne.

JOHANNE
Tu l'as jamais eue toi, Suzanne?

SUZANNE, *piquée*
Ben non je l'ai jamais eue, merci de le souligner, Johanne.

JOHANNE
Non mais, Suzanne, je disais ça pour dire que c'était platte.

PÉNIS
Tony non plus, tu l'as jamais…

TONY, *le coupant*
C'pas pour les boss.

PÉNIS
T'es sûr? Parce que…

TONY, *le coupant*
Heille euh… han!

SUZANNE
De toute façon j'ai rien faite pour mériter ça.

JOHANNE
Qu'est-cé qui faut faire pour mériter ça?

LE GROS RICHARD
Quelque chose de «méritant».

DIANE
Comme quoi?

Les quatre répliques suivantes sont dites en même temps.

DIANE
Travailler icitte, c'est pas assez.

SUZANNE
Une affaire qui aide l'Armée du Rachat.

PÉNIS
Ça peut être n'importe quoi.

LE GROS RICHARD
«Méritant» ça le dit là!

TONY
C'pas compliqué! Chiper du stock aux autres succursales. Ça c'est ben méritant.

SATURNIN
Tu m'as dit qu'y avait trop de …

TONY, *le coupant*
J't'ai demandé de JETER du stock! De me libérer la place! De cleaner ton tas, c'pas compliqué ça. (*Il prend du stock qu'il met frénétiquement dans un panier.*) 'Ga! Ça c'pus bon! Pis ça, pis ça, pis ça! Tu garroches ça *as is* dans le compacteur, merci bonsoir! T'es-tu capable de faire ce que ton boss te demande, toi?

Temps.

LE GROS RICHARD
Y vient d'être nommé employé du mois, Tony.

Les quatre répliques suivantes sont dites en même temps.

SUZANNE
Ça doit avoir de l'allure c'qu'y a faite.

JOHANNE
Les bruns sont contents.

PÉNIS
C'est la première fois.

DIANE
Ça a marché son affaire.

TONY
Heille! Qu'est-cé que vous faites encore icitte vous autres? Le lunch est pas fini? Y a pas une job qui vous attend quèque part? Enweyez scramez d'icitte! *Let's go!*

Temps. Personne ne bouge.

SATURNIN
J'pense que tu te trompes, Tony.

Tous regardent Tony. Personne ne bouge.

TONY
OK, OK OK OK OK OK... Je vous laisse avec votre nouveau héros. Super Saturnin qui sait mieux que tout le monde comment y faut que ça marche, icitte! Han?... s'tie. C'est ça tabarnak!

Il sort.

LE GROS RICHARD
Heille, bravo, mon Saturne!

Les cinq répliques suivantes sont dites en même temps.

PÉNIS
Ben oui!

JOHANNE
Employé du mois!

145

SUZANNE
Chus fière de toi!

DIANE
Wow!

LE GROS RICHARD
C'est pas rien!

LA CHANSON DU MESSIE

JOHANNE, SUZANNE, DIANE, PÉNIS
et LE GROS RICHARD
Gloire à toi sauveur – messie divin
Sa lumière m'a illuminé de ses rayons lumineux
Gloire au rédempteur – toi Saturnin
Alléluia – Alléluia – Alléluia

JOHANNE
Oui j'ai péché – je reconnais mes fautes – grâce à ton pardon je peux expier ce vol honteux et dégradant – à tes yeux je redeviens enfin pure – et je peux m'élever vers ce monde meilleur où j'aurai la job – tellement désirée – de madame Mac Gallivray!

JOHANNE, SUZANNE, DIANE, PÉNIS
et LE GROS RICHARD
Alléluia – Alléluia – Alléluia

PÉNIS
Oui j'ai péché –

SUZANNE
Je reconnais ses fautes –

PÉNIS
Grâce à ton pardon –

SUZANNE
Il peut expier sa colère honteuse et dégradante –

PÉNIS
À mon tour d'être enfin boss, ça c'est sûr –

SUZANNE
Il peut s'en aller vers un monde ailleurs

PÉNIS

Je vas prendre la job

SUZANNE

Que j'aurais aimée

PÉNIS

De madame Mac Gallivray!

JOHANNE, SUZANNE, DIANE, PÉNIS
et LE GROS RICHARD

Gloire à toi sauveur – messie divin
Sa lumière m'a illuminé de ses rayons lumineux
Gloire au rédempteur – cher Saturnin
Alléluia – Alléluia – Alléluia

DIANE

Oui j'ai péché – junkie du sexe, drogue pis toute – j'ai voulu
un grand amour qui ne serait pas honteux et dégradant –
pleine d'espoir j'ai rêvé sans mesure – comment m'élever
jusqu'à ton monde meilleur, toi qui offre la job – sans
arrière-pensée – de madame Mac Gallivray!

JOHANNE, SUZANNE, DIANE, PÉNIS
et LE GROS RICHARD

Alléluia – Alléluia – Alléluia

LE GROS RICHARD

Oui moi je bois – quand je fais ça, je me sauve – j'ai pensé
qu'une deuxième chance c'était niaiseux et pas bril-
lant – m'as aller la revoir, m'as sauter la clôture – elle
me pardonnera car j'aurais pas les mains vides grâce
au bijoux – que j'vais emprunter – chez madame Mac
Gallivray!

JOHANNE, SUZANNE, DIANE, PÉNIS
et LE GROS RICHARD

Gloire à toi sauveur – messie divin
Sa lumière m'a illuminé de ses rayons lumineux
Gloire au rédempteur – cher Saturnin
Alléluia – Alléluia – Alléluia

Scène 24 : Dernière semaine

Sur un tableau ou en projection ou selon une autre idée géniale, on voit: «Dernière semaine. Lundi, 19 août. Parade. Soyons fiers!»

VOIX OFF DE ROSELYNE
Vous vous apprêtez à quitter votre emploi? Restez pro jusqu'au bout car il faut bien assurer vos arrières afin que votre manager garde de vous la meilleure image possible. Ainsi, il vous recommandera avec enthousiasme à vos futurs employeurs.

Saturnin se dirige vers le «bureau» de Tony. Pénis l'arrête.

PÉNIS
Où c'est que tu vas?

SATURNIN
Je vais voir Tony, je sais plus trop quoi faire avec mes paniers.

PÉNIS
Pas sûr que c'est une bonne idée.

Sur un tableau ou en projection ou selon une autre idée géniale, on voit: «Mardi, 20 août.»

Johanne vient voir Saturnin.

JOHANNE
As-tu vu Richard?

SATURNIN
Pas depuis la semaine passée.

Retour à Pénis.

PÉNIS
Sa porte est fermée. Y a passé l'avant-midi à crier au téléphone. T'es mieux de pas le déranger.

SATURNIN
Je peux peut-être l'aider d'une façon ou d'une autre.

Retour à Johanne.

JOHANNE
Les bruns courent après Richard. Y paraît qu'y a piqué *as is* des bijoux à madame Mac Gallivray.

SATURNIN
Pour vrai?

Sur un tableau ou en projection ou selon une autre idée géniale, on voit: «Mercredi, 21 août.»

Diane vient voir Saturnin.

DIANE
L'été achève.

SATURNIN
Oui, déjà, c'est fou.

Retour à Pénis.

PÉNIS
Laisse-lé faire Saturnin. Tant pis pour lui.

Pénis sort. Retour à Johanne.

JOHANNE
Je suis allée voir madame Mac Gallivray pour… juste de même. Pis a' m'a dit que Richard est venu rôder dans son coin.

Retour à Diane.

DIANE
Ça se serait jamais pu toi pis moi, han?

SATURNIN
Ben, on est pas…

DIANE, *le coupant*
Dis rien s'il te plaît.

Sur un tableau ou en projection ou selon une autre idée géniale, on voit : « Jeudi, 22 août. »

Suzanne vient voir Saturnin.

SUZANNE
Les bruns vont pas garder Tony. Y a eu des plaintes contre lui.

SATURNIN
Qui s'est plaint ?

SUZANNE
Moi. Diane. Johanne.

Retour à Johanne.

JOHANNE
Pis quand Richard est parti, y lui manquait des bijoux.

SATURNIN
C'est peut-être pas lui.

JOHANNE
Madame Mac Gallivray a' pense que c'est lui. Était contente que je la croie.

Johanne sort. Retour à Diane.

DIANE
Je sais pas pourquoi j'ai posé cette question-là. Chus juste une conne...

SATURNIN
Dis pas ça, Diane.

Retour à Suzanne.

SUZANNE
Tout le monde s'est plaint. Même Charlot.

SATURNIN
Charlot ?

SUZANNE
C'est Pénis. Un boss qui te traite comme un pénis, tu l'haïs *as is.*

Retour à Diane.

DIANE
T'es ben gentil mais arrête un peu des fois.

Diane sort. Retour à Suzanne.

SUZANNE
T'a veux pas toi la job de Tony?

SATURNIN
Je recommence mes cours bientôt.

SUZANNE
Tu pourrais rester. Ça pourrait être ça aussi ton choix.

Suzanne sort.

Sur un tableau ou en projection ou selon une autre idée géniale, on voit: «Vendredi, 23 août. Retour en classe.»

Saturnin voit quelque chose bouger dans le tas. Il prend un bâton pour se défendre. C'est Richard, visiblement éméché et tout croche qui fouille avidement dans le tas.

SATURNIN
Richard? Qu'est-ce tu fais là?

LE GROS RICHARD
Laisse faire, toi!

SATURNIN
Chhhh! Tu vas te faire pogner. Les bruns te cherchent.

LE GROS RICHARD
C'pas toi qui va me dire *as is* c'que j'ai le droit de faire ou non, OK la planète!

SATURNIN
Qu'est-ce que tu cherches?

LE GROS RICHARD
C'pas de tes affaires c'que je cherche! (*Richard se tourne vers quelque chose dans le tas et lui répond.*) Non c'pas toi.

SATURNIN
Quoi? Qu'est-ce qui t'a pris de voler des bijoux?

LE GROS RICHARD, *à Saturnin*

Énarve-toi pas le gros nerf, m'as les remettre. (*Richard se tourne vers quelque chose dans le tas et lui répond.*) C'était pas pour moi, je les ai volés pour elle! Je voulais y donner. *(Temps.)* Je l'ai fait! J'ai laissé les bijoux dans sa boîte à malle.

SATURNIN

Ça va, Richard?

LE GROS RICHARD

Chus pas un maniaque!

SATURNIN

Je le sais, Richard, je le sais.

LE GROS RICHARD, *s'adressant à quelque chose dans le tas*

Ben drôle. Non chus pas comme vous autres! Vos yeules…Vos yeules! (*À Saturnin.*) Où c'est que tu l'as mis?

SATURNIN

De quoi?

LE GROS RICHARD

Mon album! Y est où? Faut que je parte d'icitte.

Saturnin sort l'album et le lui donne.

SATURNIN

Je l'avais mis de côté, tiens.

LE GROS RICHARD, *lui arrachant l'album des mains*

Câlice!

SATURNIN

Qu'est-ce que tu vas faire avec?

LE GROS RICHARD, *le tapant avec l'album*

C'est de ta faute! C'est juste de ton ostie de faute!!!

SATURNIN

Arrête! Arrête!! Qu'est-ce tu vas faire avec l'album?

LE GROS RICHARD

M'as l'amener à sa place.

SATURNIN
Veux-tu que j'appelle quelqu'un?

LE GROS RICHARD
Pourquoi?

SATURNIN
Pour t'aider, je sais pas.

Richard s'avance vers Saturnin.

LE GROS RICHARD, *menaçant*
Vas-tu arrêter avec ça un moment donné ton ostie d'aide?!

Tony appelle Saturnin de loin.

TONY
Saturnin!

LE GROS RICHARD
Fuck! C'est Tony! Faut pas qu'y me pogne icitte! T'es mieux de fermer
ta yeule, Saturne.

SATURNIN
Attends, Richard!

Richard se sauve. Tony entre.

TONY
Ah ben, ah ben, mon Sat!

SATURNIN
Qu'est-ce qu'il y a?

TONY
Ça arrive pas tou'es jours qu'y a quelqu'un qui décrisse.

Suzanne, Johanne, Diane et Pénis se joignent au groupe.

TONY
Pour ton départ, on a paqueté le compacteur *as is* avec les dernières
cochonneries qui restaient.

PÉNIS
C'est moi qui l'a faite.

TONY
Ben oui c'est sûr ça, qui tu veux que ce soit d'autre ?

PÉNIS
Je disais ça pour…

TONY, *le coupant*
Pour me faire perdre du temps ? Faque on va partir le compacteur pour
fêter toute ça. En tout cas, *good job* mon Sat, *good job*. T'as vidé le tas
de cossins comme un champion, y a des murs que ça faisait longtemps
qu'on avait pas vus. (*Rire du groupe.*) T'as tellement réussi à cleaner la
place de fond en comble que je vous annonce en grande primeur que
l'Armée du Rachat va fermer notre succursale.

TOUS
Han ?

Les quatre répliques suivantes sont dites en même temps.

DIANE
Y ont pas le droit !

SUZANNE
Comment ça ?

PÉNIS
Tu niaises, là, Tony ?

JOHANNE
C'est pas vrai, Tony ?

TONY
Ben oui, c'est toute vrai.

SUZANNE
Où c'est qu'on va aller ?

SATURNIN
Ils peuvent pas faire ça.

PÉNIS
Vous avez pus de job ?

DIANE
Toi non plus, Pénis.

PÉNIS
Moi j'ai celle de madame Mac Gallivray.

JOHANNE
Moi 'ssi tant qu'à ça.

PÉNIS
On sera pas deux.

DIANE
Moi aussi, a m'a dit qu'a me ploguerait.

JOHANNE
Pourquoi toi?

DIANE
Pourquoi pas?

SUZANNE
Si y a quelqu'un qui reste, y vont y aller pour l'ancienneté.

DIANE
T'es trop vieille!

Les quatre répliques suivantes sont dites en même temps.

SUZANNE
Toi t'es juste une désintox, y te prendront pas.

PÉNIS
Maman, tu vas pas essayer d'avoir la job?

JOHANNE
Vous allez voir que c'est moi qui vont prendre.

DIANE
La seule qui travaille ben icitte c'est moi!

TONY
On verra ben ce qui va arriver quand ça arrivera. On va pas gâcher le départ de Sat avec toute ça, han la gang? Y s'en câlisse lui.

SATURNIN
J'm'en câlisse pas.

Les trois répliques suivantes sont dites en même temps.

PÉNIS
Moi, à sa place, je m'en câlisserais.

DIANE
Pourquoi y s'en câlisserait pas.

JOHANNE
C'est normal, qu'y s'en câlisse.

SUZANNE
Y va rester, han Sat? Vous allez voir. Han que tu vas rester?

SATURNIN
J'ai pas de réponse pour…

TONY, *le coupant*
Rester pour faire quoi? Y aura pus de sous-sol! Enweye, Sat, pars le compacteur!

Saturnin appuie sur le bouton. Le compacteur part.

TONY
À Saturnin!

TOUS
À Saturnin.

Saturnin semble reconnaître quelque chose dans le tas qui est en train de se faire compacter.

SATURNIN
Attendez!

TONY
Quessé?

SATURNIN
Là dans le tas! J'ai vu des yeux!

DIANE
Où ça?

SATURNIN
Y a des yeux, là, là.

TONY
C'est juste un estie de rat.

JOHANNE
Capote pas de même.

PÉNIS
Regarde-lé qui capote.

SATURNIN
Un rat?

TONY
Une fois parti, le compacteur s'arrête pas, Sat.

SUZANNE
Le criss de gros rat.

. JOHANNE
Ça le tuera même pas.

PÉNIS
Si ça pouvait l'éffouérer ben comme y faut.

DIANE
Y va revenir pareil.

TONY
Tu t'en débarasseras pas.

Temps.

LA CHANSON DU COMPACTEUR ET DU SALUT

La chanson du compacteur, se superpose à la chanson du Salut. Deux lignes différentes qui créent ensemble un tout divin.

TOUS

Com-pac-teur
Compacteur – compacteur
Com-pac-teur

Écorchés par la vie laide et
cruelle
Compacteur – compacteur

Vous croyez finir dans
une poubelle

Qui déconstruit, qui déchiquette

Qui racornit, qui rapetisse, qui rabougrit

Pour sauver vos âmes,
brebis égarées

Nous prions Jésus de vous protéger

Aucune pitié, sans compassion,

D'une froideur qui fait frémir.

Dieu est une bien meilleure boisson

Com-pac-teur
Compacteur – compacteur
Petit miroir cassé, un mauvais coup de pied

Il répond à vos
nombreuses questions

Com-pac-teur
Compacteur – compacteur
La poupée déchirée par deux sœurs enragées

Je me sens si malheureux

Com-pac-teur
Compacteur – compacteur

Pourquoi m'a-t-elle quitté?

Pauvres abandonnés un mauvais coup de pied

Ils seront étouffés dans la mort compactée

Il répond à vos
nombreuses questions

Com-pac-teur
Compacteur – compacteur

À l'Armée du Rachat
La mort est une joie
Car nous sommes convaincus
Le vide n'existe plus.

Fin

Simon Boudreault
Février 2014

MARQUIS

Québec, Canada

RECYCLÉ
Papier fait à partir
de matériaux recyclés
FSC® C103567

Imprimé sur du papier Enviro 100% postconsommation
traité sans chlore, accrédité ÉcoLogo et fait à partir de biogaz.